M000195039

H.P.B.
2014

ACTUALIDAD

CT o la Cultura de la Transición

Crítica a 35 años de cultura española

Carlos Acevedo, Pep Campabadal, Colectivo Todoazen,
Jordi Costa, Ignacio Echevarría, Amador Fernández-Savater,
David García Aristegui, Irene García Rubio, Belén Gopegui,
Víctor Lenore, Carolina León, Isidro López, Guillem Martínez,
Raúl Minchinela, Pablo Muñoz, Silvia Nanclares, Miqui Otero,
Carlos Prieto, Gonzalo Torné y Guillermo Zapata

DEBOLS!LLO

Primera edición: mayo, 2012

© 2012, Carlos Acevedo, Pep Campabadal, Colectivo To-
doazen, Jordi Costa, Ignacio Echevarría, Amador Fer-
nández-Savater, David García Aristegui, Irene García
Rubio, Belén Gopegui, Víctor Lenore, Carolina León,
Isidro López, Guillem Martínez, Raúl Minchinela, Pablo
Muñoz, Silvia Nanclares, Miqui Otero, Gonzalo Torné y
Guillermo Zapata
© 2012, Random House Mondadori, S. A.
   Travessera de Gràcia, 47-49. 08021 Barcelona

Coordinación a cargo de Guillem Martínez

ⓒⓒ **creative commons** ⓘ ⊜ Ⓢ
Esta obra puede ser distribuida, copiada y exhibida por terceros si se
muestra en los créditos. No se puede obtener ningún beneficio comercial y las obras derivadas tienen que estar bajo los mismos términos de licencia que el trabajo original.

Printed in Spain – Impreso en España

ISBN: 978-84-9989-694-6
Depósito legal: B-10265-2012

Compuesto en Fotocomposición 2000, S. A.

Impreso en Barcelona por: **black**print
A CPI COMPANY

P 996946

Índice

Agradecimientos

Antes de empezar, un gran agradecimiento. A todas las personas cómplices en la elaboración de este libro. Entre ellos, Joan, que compró la burra en un plis-plas, y María, que la hizo suya y no se volvió majara en ningún tramo de la producción.

María, los periodistas pagan la factura del gas y entregan sus libros al filo del decoro. Lamentablemente, snif, esta vez tampoco ha sido una excepción. Gracias a todos por todo.

Presentación

La Cultura de la Transición (CT) es el paradigma cultural hegemónico en España desde hace más de tres décadas, que se dice pronto. Son treinta y cinco años en los que, más que un tapón generacional, ha habido un tapón cultural. Acceder a la cultura ha supuesto —y, me temo, aún supone— acceder a ser taponado, acceder a una determinada y asombrosa serie de reglas-tapón que empequeñecen y determinan el reconocimiento de un objeto como cultura. El resultado es una patología singular, la cultura más extraña y asombrosa de Europa. Se trata de una cultura —el presente volumen intenta explicar los mecanismos que hacen posible esto tan sorprendente— en la que una novela, una canción, una película, un artículo, un discurso, una declaración o una actuación política están absolutamente pautados y previstos. Se trata, a su vez, de una aberración cultural, que ha supuesto una limitación diaria y llamativa a la libertad de expresión, a la libertad de opinión, a la libertad creativa. A la libertad, a palo seco.

Desde mayo de 2011 estamos asistiendo, en ese sentido, a un combate cultural. La CT se enfrenta a nuevos puntos de vista culturales. Cosmovisiones ante el arte, la democracia, la política, la economía, jamás esperadas por la CT, y que la CT es incapaz, tan siquiera, de comprender. El presente volumen quiere ofrecer una herramienta a ese combate cultural: el concepto CT. Lo que el lector tiene en las manos es una definición del concepto CT (Guillem Martínez), una explicación sobre su génesis (Ignacio Echevarría) y una descripción de su decadencia antes y después del 15-M (Amador Fernández-

Savater); un análisis del funcionamiento de la CT en la prensa durante mayo de 2011 (Gonzalo Torné), y una explicación
ante el hecho de que fenómenos como el 15-M hayan podido
tener recorrido en todo lo contrario: la CT (Guillermo Zapata). Posteriormente, el concepto CT es sometido a diversas
disciplinas y ámbitos. Pep Campabadal habla de CT y política; Isidro López, de CT y economía; David García Aristegui,
de CT, propiedad intelectual y SGAE; Carolina León, de CT
y crítica literaria; Víctor Lenore, de CT y música; Jordi Costa,
de CT y cine; Raúl Minchinela, de CT e internet; Carlos Acevedo, de todo lo contrario, es decir, de la posible pervivencia
de la CT en internet; Miqui Otero analiza la CT y su humor;
Carlos Prieto habla de CT y titulares periodísticos; Irene García Rubio y Silvia Nanclares analizan la construcción del
imaginario colectivo a través de más de tres décadas de CT.
Finalmente, Pablo Muñoz —un exponente de una generación jovencísima, que ya no se ha formado en la cultura española / la CT, sino que ha recurrido a la cultura anglosajona—
explica su incorporación a la cultura local. Lo mismo hace,
con otra perspectiva y otra experiencia, Belén Gopegui, que
explica la incorporación de otra generación anterior al mismo paradigma cultural.

Las personas que hemos escrito este volumen confiamos
en su utilidad y pertinencia para, una vez descrito el paradigma cultural español, establecer nuevas posibilidades de cultura y de realidad. Suerte, amigos.

GUILLEM MARTÍNEZ,
coordinador

El concepto CT

Por Guillem Martínez

La libertad y sus barrotes

El concepto Cultura de la Transición (CT) es una creación muy colectiva. Arranca, inicialmente, de a) valoraciones poco edificantes ante el optimismo generalizado que suscitaban las series culturales españolas posteriores a 1975, y de b) iniciales descripciones de los nuevos roles del intelectual y la cultura, esos palabros, desde el fin del franquismo. Son puntos de vista escasos, exóticos, formulados por Gregorio Morán (*El precio de la Transición*, 1992), Manuel Vázquez Montalbán (*El escriba sentado*, 1996), Sánchez Ferlosio —un señor muy citado, por lo que veo, en este volumen y al que, por tanto, deberíamos enviar un jamón—, Juan Aranzadi (*El escudo de Arquíloco*, 2001), e Ignacio Echevarría en los primeros números de *Lateral* (1992), una revista que, en lo que es una metáfora de la vida de los mamíferos en el hábitat CT, se planteó darle para el pelo a la CT, para pasar, en breves segundos, a ser otro *Love Boat* de la CT. Sí, no es mucho material y no es mucho nombre propio. Lo que orienta sobre el clima de inquebrantable adhesión *non-stop* que supone la CT y la dificultad para emitir crítica cultural y de la otra en una sociedad en la que la CT es hegemónica.

Pese a ello, el concepto CT ha sido una herramienta que ha crecido, en formulación y difusión, en internet. Ha recurrido para ello a la antropología cultural, a teorías de la recepción, a la teoría de los marcos y a los *culture studies*. Y también —y esto, como periodista, me llena, yupi, de honda satisfacción—

al método periodístico. Ya saben: el recuerdo de una disciplina nacida para someter el poder a control, y que ha visto en la cultura española de los últimos años un elemento de control del poder inusitado, violento, descomunal y único en Europa.

Con todas esas confluencias, se puede explicar, gracias al concepto CT, una cultura en su sentido más vasto, amplio, global e, incluso, *gore*, a través de una manera de observar la cultura como forma y fondo. Es la cultura como baile, pero también como pista de baile, vamos. La CT, así, puede explicar una novela española, pero también un artículo periodístico, un editorial, una ley, un discurso político. Es una herramienta formidable para leer la realidad y su formulación, la cultura. Amador Fernández-Savater ha ampliado mucho el concepto en esa dirección y con resultados sorprendentes. Y beligerantes.

El lector que me haya seguido hasta aquí se estará preguntando, por tanto, qué es la CT y dónde puede comprarse una, por lo que sería oportuno poner cara de romano y soltar alguna definición resultona al respecto. Ahí va. En un sistema democrático, los límites a la libertad de expresión no son las leyes. Son límites culturales. Es la cultura. Es un poco lo que apuntaba Mozart —uno de los primeros hombres libres contemporáneos codificados— cuando señalaba que la libertad solo se encuentra entre barrotes. Los barrotes —especificaba Mozart— que forman el pentagrama, esa pauta sobre la que formulaba su música / su libertad. La CT es la observación de los pentagramas de la cultura española, de sus límites. Unos pentagramas canijos, estrechos, en los que solo es posible escribir determinadas novelas, discursos, artículos, canciones, programas, películas, declaraciones, sin salirse de la página, o ser interpretado como un borrón. Son unos pentagramas, por otra parte, formulados para que la cultura española realizara pocas formulaciones.

El informe Brodie de la CT

La génesis de la CT no se encuentra en la Guerra Civil. Se encuentra en sus quimbambas —o, glups, en su 2.0—: la Transición. Un proceso en el que las izquierdas tenían poco que aportar, por lo que su gran aportación fue a través de la cesión del único material que poseían: la cultura. En un proceso de democratización inestable, en el que al parecer primó como valor la estabilidad por encima de la democratización, las izquierdas aportaron su cuota de estabilidad: la desactivación de la cultura. Con esa desactivación, la cultura, ese campo de batalla, pasó a ser un jardín. ¿Fue una cesión espontánea? En todo caso, no fue una cesión inocente, como apunta la rapidez de la reconversión de la cosa.

La cultura, de hecho, está notoriamente desactivada como tal en 1977, cuando, ante el silencio de la cultura y sin mecanismos culturales de crítica, se producen los Pactos de la Moncloa, primer pacto oficial del franquismo con la oposición, que supuso la eliminación de los movimientos sociales y el abandono de propuestas democráticas más amplias —como, snif, la democracia económica—. El abandono, vamos, de lo que había sido la izquierda del interior en los últimos años del franquismo.

Puede ser una metáfora, pero los inmediatos choques del franquismo con la cultura —choques cotidianos, con impresionantes puntas de violencia, como pasó con la bomba de *El Papus* (1977), el consejo de guerra a Els Joglars (1978), y el prealquitranado y preemplumado de La benemérita a Pilar Miró por *El crimen de Cuenca* (1979)— se producen sin ningún partido que defienda a las víctimas, es decir, que defienda el oficio de las víctimas. En 1981 la desactivación de la cultura es tan grande que ya no se dispone de otra lectura del 23-F que la facilitada por el Estado y por su más alto representante, situación en la que, por otra parte, seguimos esta mañana a primera hora. El proceso de desactivación está finalizado y equipado de serie para el referéndum de la OTAN (1986), cuando aquel oficio que se enfrentaba al poder sin defensa desde 1977, ya ha cambiado de oficio, de manera que ya está completamente alineado con el poder. El paradigma cultural, para entonces, es otro. La cultura, sea lo que sea, consiste en su desactivación, es decir, en crear estabilidad política y cohesión social. Trabaja, en fin, para el Estado, el único gestor de la estabilidad y de la desestabilidad desde 1978.

Una cultura vertical

Básicamente, la relación del Estado con la cultura en la CT es la siguiente: la cultura no se mete en política —salvo para darle la razón al Estado— y el Estado no se mete en cultura —salvo para subvencionarla, premiarla o darle honores—. Parece una relación civilizada, de padres divorciados pero enrollados. Pero es, básicamente, una relación intrínsecamente violenta. Veámoslo por partes:

a) La parte de la cultura. Un objeto cultural es reconocido como tal, y no como marginalidad, siempre y cuando no colisione con el Estado. Aquí es preciso señalar que la zona de no colisión es amplísima, mientras que la zona de colisión es reducida. Lamentablemente, esa zona de colisión consiste en lo problemático, el punto en el que se ha producido la cultura europea de los últimos trescientos años. Por eso mismo, en la CT desaparecen todos los productos culturales problemáticos. El resultado es la producción de miles y miles de productos aproblemáticos —en todas sus modalidades: social, política, sí, pero también formal y estética; la belleza, si se fijan, es absolutamente, snif, problemática en muchos de sus tramos; concretamente, en los más bellos, si me fuerzan.

b) La parte del Estado es complementaria a esa brutalidad. Con su dinero, sus premios, sus honores, facilita la cosa y ahorra tiempo, al decidir lo que es cultura o no. Curiosamente, en ese trance, el Estado y la cultura coinciden de nuevo en que no es cultura lo problemático. El castigo a la persona que apuesta por lo problemático es diferente al que recibiría en Corea del Norte, otro país cuya cultura y Estado coinciden. Consiste en la marginalidad. Ese castigo, por otra parte, no lo ejerce el Estado, lo ejerce la cultura. Por ejemplo, en los medios, que evitan hablar de productos no considerados culturales bajo esa perspectiva / no premiados / no subvencionados / no cohesionadores / problemáticos.

Otra similitud entre Corea del Norte y España, ahora que caigo, es el rol propagandístico de la cultura. La cultura, así descrita, es una gigantesca máquina propagandística —de manera activa, o piando; de manera pasiva, o hablando sobre la nada— de un sistema político: el sistema democrático español, único receptor de cero críticas en la CT. El más y mejor del mundo mundial, que ha sabido sortear con responsabilidad y madurez un difícil reto que bla, bla, bla. La CT es, pues, una cultura vertical, emitida de arriba hacia abajo y que modula toda la cultura española que quiera serlo. El carácter propagandístico de la cultura española actual es tal que, de hecho, la CT es la gran cultura europea que carece de crítica. No hay posibilidad de criticar —es decir, de someter a problematización un objeto, nacido, por otra parte y comúnmente, con la esperanza de no problematizar nada, pero es que nada—. De la misma manera que no hay posibilidad de someter a crítica una novela sobre la Guerra Civil con falangistas buenos, una novela repleta de sentimientos buenos y cohesionadores, una película de Almodóvar o un disco de un cantautor chachi, se carece de herramientas para emitir crítica ante un discurso político o un fenómeno social. O, lo que es lo mismo, el único ideal crítico posible en la CT es su aproximación o lejanía a la CT. Cerca es bueno; lejos no es cultura.

Sí, pero

El lector avispado, no obstante, puede tener algún reparo ante la descripción plis-plas de la CT que les he facilitado en el anterior apartado. No se vayan, que intentaré pelarme todos sus reparos. Reparo 1: «Lo que usted dice no es más que el concepto de superestructura, pasado por Adorno y a lo largo». No. Las estructuras políticas y económicas intentan modular la cultura para eliminar la explicitación de contradicciones. Pero esa modulación es menos activa y acostumbra a tener menos participación política de instituciones que en la CT. La CT es una aberración política y definitivamente española. Reparo 2: «Lo que usted dice es lo que ha ocurrido en Occidente desde 1968: la desactivación de la cultura y su conversión en ocio y mercado». No. En Francia, pongamos, la cultura, en efecto, fue desactivada con posterioridad al mayo francés. Fue una desactivación interna. La cultura decidió ser lúdica y ver en ello un éxito evolutivo. Aquí, la desactivación sucedió fuera de la cultura. En el Estado. Aquí el Estado realizó la meditación, y no la cultura. El punto fundacional de la CT es, precisamente, el momento en el que la cultura deja de emitir meditaciones sobre sí misma. Reparo 3: «Lo que usted describe es la suplantación progresiva de la cultura por el mercado, un fenómeno mundial». No. La cultura de mercado ha supuesto siempre una posibilidad cultural en la cultura de masas. En la CT, si se fijan, se produce, en cierta manera, aún poca cultura de mercado, es decir, poca cultura internacional, exportable, atenta a los gustos internacionales del mercado. Se produce, en todo caso, una gran cantidad de productos CT, que —y ahora pienso en la serie literaria— intensifican la adhesión, la estabilidad y la desproblematización —conceptos políticos absolutamente locales e inexportables—, por encima de los criterios de mercado al uso. Los grandes éxitos de la literatura CT, por ejemplo, son inexportables. Su única función y su única vida es local. No es lo mismo Cercas o Muñoz Molina —CT— que Ruiz Zafón o Pérez-Reverte —el mercado—. Un consumidor de libros de mercado internacional se quedaría pajarito con unos y satisfaría la inversión de su compra con los otros. Reparo 4: «Usted de lo que habla es de la muerte del compromiso». No. Hablo de la muerte de la problemática y de una cultura cuyos intelectuales están absolutamente comprometidos, contra lo problemático y con el Estado, de manera que en la cultura solo optan por los temas que el Estado propone. Hablo, en fin, de la posibilidad de hablar sobre ese compromiso. Muy vivo, por otra parte. Reparo 5: «Usted habla de teorías conspirativas». No. Hablo de todo lo contrario. De algo que se ve por todas partes y en régimen de cotidianidad, no de excepcionalidad. Hablo, vamos, de cultura. Incluso las culturas verticales, como la CT, carecen de un despacho del Doctor No que lo centralice todo. Una cultura, en ese sentido, es un despacho al aire libre. Hablo de la posibilidad de describir ese despacho. Hablo de la posibilidad de hablar de lo que ocurre cotidianamente, en un día normal formulado por la CT.

Descripción de un día normal según la CT

El 11-M de 2004 fue, de hecho, un día normal para la CT. Su originalidad es que, a través del funcionamiento de la cultura a lo largo de ese día y los siguientes, se puede observar cómo funciona una cultura vertical, cuya razón de ser es la creación de cohesión y propaganda. Ese día, antes de las 8.00, explotaron varias bombas en la estación de Atocha. La autoría del atentado fue, en un principio, confusa. Los medios y corresponsales extranjeros, usuarios de otra cultura, acabaron con esa confusión sobre las 12.00, hora en la que, amparados en sus respectivas culturas y en el método periodístico (observación de la realidad + control del poder), atribuyeron el atentado a una firma diferente a la propuesta por el Estado. Los medios españoles mantuvieron la opinión gubernamental al respecto no solo a lo largo de ese día —una opción que orienta hacia una aberración cultural—, sino a lo largo de tres días más. Sí, en aquella ocasión hubo despacho del Doctor No. El presidente español llamó personalmente a varios directores de diario para intensificar su propia tesis frente a los atentados. Pero también recibieron ese tipo de llamadas diversos corresponsales extranjeros, que no dieron ningún crédito a las consignas recibidas. Sus culturas y sus códigos profesionales estaban equipados para desactivar ese tipo de llamadas, para no participar en ningún ejercicio de cohesión. El hecho de que un presidente de Gobierno llame a un diario, por otra parte, es algo impensable en el resto de las grandes culturas occidentales, como el hecho de que una llamada así pueda cambiar la primera plana de un diario sin caer en la patología.

Los medios, esa amplia región de la cultura, hicieron, pues, lo que debían, lo que su cultura consideraba su deber. Los accesos a la información de aquellos días también se ajustaron absolutamente a un modelo cultural que todo el mundo tenía formulado en su cabeza. Las firmas optaron por la inquebrantable adhesión a las tesis del régimen, vociferándolas y ampliándolas, y pidiendo unas acciones gubernamentales precisas que, por otra parte, eran las mismas que intentaba ofrecer el Gobierno. El grueso informativo, y algunas pocas firmas, optaron por la otra postura que ofrece la CT si no quieres salirte de ella: no se alinearon con las tesis duras del Gobierno, pero apostaron por la opción aproblemática: apostaron por una lectura sentimental del asunto, a través de las biografías de las víctimas y del dolor como tema.

La CT, aquellos días, demostró —si omitimos la participación del Doctor No; y si no la omitimos, pues también— cómo funciona cada día, cómo gestiona la realidad, cómo dibuja los marcos. Distribuyendo las tesis gubernamentales, optando por las vías de investigación —en este caso, literalmente— propuestas desde arriba y, cuando no hay muchas ganas, no hablando de todo lo contrario, sino del tema propuesto desde sus puntos de vista menos problemáticos. Curiosamente, después de aquel festival, solo abandonó la dirección de un diario local un director de un diario de derechas. Lo que puede orientar sobre quién se mueve más y mejor en el agua en la CT, y cuál es el futuro de la CT.

La CT y su primo el de Zumosol

Posiblemente, la única evolución interna de la CT a través de los últimos treinta y pico años se ha producido a través de los dos grandes partidos españoles, es decir, a través de las dos únicas opciones que pueden ser poder y pueden administrar, desde arriba, la CT. Ambos partidos comparten la observación de la CT como el paradigma cultural español natural, capaz de superar los yuyus del pasado. Ven sus funciones —verticalidad, cohesión, desproblematización— no solo como deseables, sino como muy satisfactorias. Las ecuaciones menos arriesgadas proceden, empero, de la izquierda.

La sensación es que el PSOE —e, incluso, IU— ve la relación entre cultura y Estado que forja la CT como un triunfo de las izquierdas. La pregunta del millón —¿debe el Estado ofrecer cultura a los ciudadanos?— no solo no se formula desde la izquierda de la Transición, sino que en un momento en el que esas izquierdas emiten serias dudas sobre si el Estado debe o no ofrecer sanidad o educación, no existe duda de que debe ofrecer cultura. Es más, en diciembre de 2011, cuando existía el rumor de que el nuevo Gobierno del PP iba a eliminar el Ministerio de Cultura —un ministerio importante para la CT y un rumor muy improbable de verse realizado en una cultura vertical—, se empezaron a modular ecuaciones por parte de intelectuales del PSOE en las que se defendía la existencia del ministerio en tanto se vinculaba la CT a la industria cultural. Esta ecuación (CT = industria cultural), limitada, pueril, es la formulación más al límite que ha realizado la izquierda en más de tres décadas. Algo inquietante si pensamos que la derecha española está viviendo una revolución creativa absoluta, ampliable a su propia interpretación de la CT.

Desde los años noventa, la FAES y los *think tanks* del Republican Party empezaron a intercambiar lenguaje. El resultado es una derecha española por primera vez no vinculada al léxico o al imaginario franquista. Es, lo dicho, una derecha revolucionaria —es decir, poseedora de un léxico revolucionario y de una misión revolucionaria— que utiliza un vocabulario rampante —con palabros como libertad, derecho o Constitución cada dos segundos, y modulaciones, snif, libertarias del discurso político— para explicar políticas reaccionarias y ultraliberales. La nueva derecha, obviamente, utiliza los mecanismos de la CT —esa cultura vertical que nació para imponer tesis gubernamentales— para expandir la normalidad de un discurso históricamente anormal. Por otra parte, el PP en el exilio —el PP que no gobernó en los primeros años del siglo XXI— ha realizado proezas culturales llamativas, como la creación de empresas culturales para emitir su lectura de la CT —incluso en períodos de oposición—, la experimentación en redes sociales e internet o, y esta es la más

notoria, la capacidad de enfrentarse a la CT —esa cultura gubernamental, que no se puede emitir cuando no eres gobierno— mediante una nueva formulación de la CT, más agresiva
—¿Cultura Brunete?—, que rapta y depura más aún la edad
de oro de la Transición, la sitúa más a la derecha y hace de
ella el elemento a partir del cual elaborar el ideal que debe
seguirse para, posteriormente, construir la verticalidad, la
propaganda y la cohesión típicas de la CT.

¿Hay un futuro en todo este pasado?

La sensación es que el futuro de la CT está asegurado por
una izquierda que no ve en la cultura de los últimos treinta y
pico años nada patológico, y una derecha que ve en la cultura
de los últimos treinta y pico años un buen recurso para realizar políticas novedosas y agresivas en este cambio de época,
una época y un cambio que se dibujan por la preeminencia
del mercado financiero frente al Estado, la disolución —o, al
menos, un cambio riguroso— del Estado del bienestar y la
degradación del sistema democrático, reducido a la elección de
representantes que acometen una sola política —o, al menos,
una política muy determinada por el pago de deuda; el capitalismo, en fin, está pasando a ser un sistema que, más que explicarse por el consumo, se está empezando a explicar por el
pago de deuda—. La CT, la capacidad de lanzar mensajes verticales, de delimitar las problemáticas, de encauzar la cohesión, la capacidad de que, en fin, el Estado sea el motor de la
cultura, del establecimiento de marcos y puntos de vista, es
un chollo español para realizar, con cierto relajo y éxito, esa
violentísima transición.

En ese contexto de control cultural, resultan excitantes
objetos como el 15-M. Un objeto difícil de explicar, pero que,
en todo caso, es otro paradigma cultural, una visión de la cultura y de la democracia no tutelada por la CT. Lo que, a su
vez, y visto lo visto, supone un pequeño milagro cultural. Es
lo no CT. Es el nacimiento de lo no CT. Lo no CT supone la
oportunidad de establecer una cultura no centralizada, que

no participe en la estabilidad de ningún proyecto político ni de ningún Estado. Consiste en devolver a la cultura su capacidad de arma de destrucción masiva, de objeto problemático, parcial y combativo, su capacidad de solo ser responsable ante ella misma y no responsable de la estabilidad política de ningún sitio. Igual que un Estado puede contener diferentes sociedades —algo que no acaba de comprender la CT—, una sociedad puede tener diversas culturas —algo que, definitivamente, no entiende la CT—. Lo no CT es la posibilidad de miles de culturas horizontales. Lo no CT es la posibilidad de robarle al Estado el monopolio cultural. Algo que, de hecho, sucedió hace un año, con el nacimiento del 15-M —ese objeto problemático, al que le importa un pito la cohesión, las identidades y que parece querer discutir temas que la cultura de las tres últimas décadas no puede ni identificar—, un fenómeno imposible de ser descrito o, incluso, comprendido a partir de la CT. El combate cultural ha empezado, posiblemente, por aquí abajo. Bienvenidos a él.

La CT: un cambio de paradigma

Dado que mis ideas sobre el asunto se han movido muy poco, no me queda más remedio que servirles un refrito de lo que ya escribí hace la tira de años en dos artículos publicados en los números 1 y 2 de la difunta revista *Lateral* —tristemente lobotomizada por la CT— correspondientes a los meses de noviembre y diciembre de 1994. Me preguntaba yo, al frente del primero de esos dos artículos, hasta qué punto cabía hablar de una «Cultura de la Transición», y si no había llegado el momento, transcurridas ya dos décadas desde la muerte de Franco, de ir haciendo el balance de lo que, desde el punto de vista cultural, había supuesto el período que por entonces parecía estar agonizando, al compás del prolongado y a esas alturas ya muy decadente mandarinato de Felipe González.

A comienzos de los noventa, empezaban a aflorar el hartazgo, la fatiga y hasta el enojo ante los usos y maneras que se habían impuesto en la cultura española durante los ochenta. Proliferaban las voces que denunciaban el modo en que habían transcurrido las cosas, los resultados de toda una década de desmemoria y despilfarro, presidida por un irritante adanismo, por un narcisismo y una fatuidad a menudo ridículos, por un desinhibido mercantilismo que se ofrecía como marca de una nueva sociabilidad, reacia a toda muestra de crispación.

Empezaba yo el primero de mis artículos recordando unas sonadas declaraciones que José Ángel Valente hiciera al diario *El País* en el mes de julio de aquel mismo año de

1994.[1] En ellas, Valente arremetía contra los entonces «nuevos poetas» españoles, a los que maliciosamente motejaba como la «Generación Loewe». Aun dejando bien claro que no creía en las generaciones, afirmaba Valente que, anteriormente, «detrás de cada una había un hecho histórico significativo». El desastre de 1898, la dictadura de Primo de Rivera, la Guerra Civil, la dictadura de Franco...: alrededor de cada uno de estos hitos históricos se articulaba, según Valente, una determinada conciencia generacional. «Pero la historia de este país —concluía en la mencionada entrevista— se va desflecando hacia la disolución absoluta. Y así hemos llegado a la Generación Loewe, con gente que no tiene nada detrás, nada que decir.»

Las declaraciones de Valente movían a preguntarse, con cierta perplejidad, si acaso la tan cacareada transición democrática no constituía un hecho histórico lo suficiente significativo. Para quienes, como yo mismo, habían vivido con más o menos conciencia histórica la muerte de Franco, la disolución de la Platajunta, el retorno de la Pasionaria, el Tejerazo, el ascenso al poder de los socialistas, el ingreso de España en la OTAN, el veraneo de Felipe González a bordo del *Azor* o la irresistible ascensión y caída de Mario Conde, las palabras de Valente resultaban chocantes. Más de quince años después, resultan sencillamente inauditas, pues entretanto la Transición (vamos a ponerle la mayúscula, como se le pone a la Ascensión de Jesucristo a los Cielos, o al dogma de la Inmaculada Concepción) no ha hecho más que destacarse no ya como hecho histórico significativo, sino como el hecho histórico decisivo para todos los españoles nacidos durante el último medio siglo.

Es cierto, sin embargo, que la Transición tardó lo suyo en perfilarse como «hecho histórico» diferenciado de los largos años que la precedieron. En un balance sobre la cultura española del decenio 1975-1985, prolongado luego hasta 1990 y recogido en una colección de artículos provocativamente ti-

1. *http://www.elpais.com/solotexto/articulo.html?xref=19940724 elpepicul_1&type=Tes&ed=diario*

tulada *De postguerra: 1951-1990* (1994), José-Carlos Mainer se preguntaba si el decenio comprendido entre la muerte de Franco y «el penúltimo año de primer mandato socialdemócrata de nuestra historia» (1985) pasaría «a los anales del tiempo» con alguna etiqueta del estilo de «decenio de la Transición», «decenio del desencanto» o «decenio de la afirmación democrática, según la intención del hablante sea la mera asepsia descriptiva, la irritación militante o el optimismo inveterado».

En opinión de Mainer, «desde la ladera del análisis sociológico más elemental» no cabe sostener que la fecha de 1975 en que se produjo la muerte de Franco tuviera «demasiada significación propia». Mucho antes de esa fecha se habría abierto el período que él bautiza algo estentóreamente «de posguerra» y que abarcaría esos años de 1951 a 1990 que cubre su libro, un período que absorbería, como se ve, los años de la Transición.

Y aclara Mainer: «En algún otro lugar [se refiere a su libro *La corona hecha trizas: 1930-1960*, de 1989] he negado que la contienda de 1936 sea mojón de un nuevo período cultural: tras el final de las batallas y hasta 1950, más o menos, he creído ver que se extiende un período soterradamente epigonal cuyas claves se asientan en los años republicanos. Luego viene un período de voluntario adanismo cultural, pero también de refundación de la convivencia que, muy a menudo, combate con los fantasmas del pasado próximo, continuándolo así a su pesar o sin saberlo».

La misma idea de que la muerte de Franco no supuso un cambio de rasante en el desarrollo de un proceso cultural abierto mucho antes la sostuvo también, aunque menos radicalmente, Manuel Vázquez Montalbán en su importante ensayo sobre *La literatura y la construcción de la sociedad democrática* (de 1992, pero reelaborado en 1998). Según él, fue el boom económico de los años sesenta el que creó las condiciones materiales en que se fraguaron las actitudes culturales características tanto de los años setenta como de los ochenta.

El modo en que Mainer caracteriza ese período «de posguerra» justifica hasta cierto punto que lo prolongue hasta

1990, dado que, más que nunca, la transición a la democracia se hizo invocando una «refundación de la convivencia» que entrañaba un «voluntario adanismo cultural». En la Transición, sin embargo, el «combate con los fantasmas del pasado próximo» iba a quedar desplazado por la simple «cancelación» de ese pasado, que los pactos suscritos por las principales formaciones políticas —incluido el Partido Comunista— durante el proceso constitucional pretendieron ignorar.

Probablemente fuera esta cancelación del pasado lo que movía a José Ángel Valente a decir que «la historia de este país se va desflecando hacia la disolución absoluta». A mediados de la década de los noventa, este sentimiento —el de un «hurto» del pasado, de la historia— parecía dar lugar a una especie de clamor colectivo. El mismo año de 1994 en que yo escribía mis dos artículos de *Lateral*, el ex ministro de Cultura Jorge Semprún declaraba que la Transición «fue en sí muy positiva, pero trajo la amnistía y la amnesia», lo que le movía a profetizar que «España pagará algún día el precio de este proceso». En una conversación entre Eugenio Trías y Rafael Argullol publicada en *La Vanguardia* también ese mismo año, ambos denunciaban el estado del pensamiento español y «la trivialización» de la cultura. Trías responsabilizaba de la situación al «poder y sus compromisos», a los efectos de una «cultura del pelotazo», que se resolvió en «una especie de asunción cínica del desierto del pensamiento». A lo que apostillaba Argullol que «la raíz de eso quizá se halle en la forma en que se hizo la Transición», la cual «desde el punto de vista intelectual significó un trauma castrador impresionante».

«Se asumió colectivamente —añadía Argullol— una identidad falseada que obvió cualquier tipo de análisis en profundidad, incluso sobre nuestro pasado histórico más inmediato. Y se asumió porque se puso en primer lugar el elemento político que requirió esta especie de pacto de complicidad del silencio.»

Cabe sostener que, en cuanto proceso histórico, la Transición se caracterizó por esta primacía de la política sobre la historia, por la decisión política de cancelar la historia en aras de ese proyecto de refundación de la convivencia que, desde mucho atrás, parecía imprescindible para cerrar las heridas de la Guerra Civil. La Cultura de la Transición, por su parte, sería la consecuencia natural del masivo alineamiento de la clase intelectual y cultural del país con ese proyecto.

A la altura de 1965, en su programático ensayo *La inspiración y el estilo*, Juan Benet especulaba sobre los motivos que impidieron que prosperara en la tradición literaria española lo que él llamaba *grand style*, y concluía que se debió en gran medida a la distancia crítica adoptada por el intelectual español respecto al Estado.

Escribe Benet: «Yo no soy capaz de descubrir en el artista español —en el escritor, en particular— del siglo XVI en adelante una absoluta compenetración con su país. Me he referido antes a una bastante generalizada incompatibilidad de ese hombre para con un Estado cuyas empresas nunca llegó a ver del todo claras, pero que el español, celoso de su seguridad y despectivo como nadie a una formulación doctrinaria de aquella postura de disentimiento, jamás se preocupó de manifestar sino haciendo uso de aquellas metáforas y retruécanos que tan diestramente aprendió a utilizar...».

Esta actitud habría comenzado a forjarse, según Benet, en los umbrales de la España imperial. Se puso entonces en marcha, alentado por los intereses de la Corona, «un monstruoso y artificial aparato propagandístico» que aparejaría «una de esas enfermedades colectivas inoculadas en el cuerpo de la nación y de un pueblo que jamás había manifestado el menor afán por el cosmopolitismo, el mesianismo o la voluntad de conquista». El mal sería tanto mayor cuanto que ese pueblo «no tenía fe en las grandes aventuras políticas y espirituales que le impusieron sus gobernantes» y, en consecuencia, «tuvo que sufrir una de esas sacudidas medulares con que, si quieres como si no quieres, el Estado decide despertar la conciencia del país y apoderarse de ella para sus propios fines, y que —lo hemos venido a comprobar palmariamente en el siglo XX— el pueblo tiene que aceptar sin rechistar, inconsciente de la operación que se va a operar en su propia conciencia».

Incluso a quienes sorprenda o quizá irrite una lectura tan sesgada como la que hace Benet de un proceso histórico muy complejo habrán de transigir, al menos parcialmente, con la conclusión que él saca sobre lo que vino a ocurrir en el plano de la actividad artística e intelectual. Y fue que «el sentido crítico del país, su aversión al arte *pompier* y su ansia de supervivencia y preservación de las virtudes nacionales vinieron a aunarse en secreto contra un disfraz que no le convenía y contra el que era preciso, por un procedimiento metafórico, irónico y simulado, montar un unánime proceso de burla y desenmascaramiento. Como objeto de burla podía servir cualquier cosa —salvo el propio Estado defendido por la censura— que a través de una conducta impersonal, autoritaria, ridícula, inoportuna e impertinente se emparentara con la representación física de la máquina estatal».

A partir de ese momento, y sin menoscabo de la amplia gama de matices en las formas con que, durante el transcurso del tiempo, se asume dicha actitud, el artista y el intelectual español definen su opción estética en relación antagónica respecto del Estado. Y así ocurre desde Cervantes hasta Juan Goytisolo, salvadas todas las distancias, y salvado el hecho de que, durante este dilatado período, la posición de los antagonistas se invirtiera, de modo que, a partir del siglo XVIII, la causa de los intelectuales, lejos de ofrecer resistencia a la vocación aventurera de las clases gobernantes, fuese la de intentar forzar la apertura de un Estado encastillado en un ideal autárquico, mezquino y castizo.

Tras el «advenimiento» de la democracia, sin embargo —y de ahí el interés de recalar en estas ideas de Benet—, la cultura española conoció un portentoso cambio de signo a este respecto. Y ello a tal punto que si se admitiera —como sostengo yo mismo, en relativo desacuerdo con Vázquez Montalbán y con Mainer— que, en el plano cultural, los años de la transición democrática sí constituyen un período suficientemente caracterizado, habría que convenir que el rasgo definitivo de su hipotética fisonomía lo constituirían las nuevas actitudes del escritor con respecto a la empresa del Estado. Algo cuya trascendencia, ya de por sí grande, es tanto mayor en cuanto se acepta que con ello se rompe una dinámica que, como sugiere Benet, se había prolongado durante cuatro siglos.

Como sea, lo que puede asegurarse es que, durante la década de los ochenta, tendió a diluirse, por parte del escritor, la «generalizada incompatibilidad» para con «un Estado cuyas empresas nunca llegó a ver del todo claras». Y, junto a ello, esa «postura de disentimiento» que lo invitaba a vivir en un permanente estado de «sorna clandestina». En su lugar, a raíz primero de los pactos para la democracia y luego de la llegada al poder del Partido Socialista, hubo oportunidad de ver cómo los ideales de cambio, de liberalización, de cosmopolitismo asumidos por el Estado en el plano de la acción política fueron también asumidos por buena parte de los creadores e intelectuales.

Durante los años ochenta, a partir de la llegada de Felipe González al poder, empezó a darse en toda España, entre los representantes del Estado y los de la cultura, un festivo conchabamiento que ilustran ejemplarmente las célebres reuniones en «la bodeguilla» de La Moncloa, en las que Felipe González y la que entonces era su mujer, Carmen Romero, convocaban periódicamente, de manera informal, a un grupito de amiguetes entre los que se contaban como asiduos algunas destacadas figuras y figurones de las artes, las letras y el periodismo español (entre ellos, Francisco Umbral, Miguel Ángel Aguilar, Javier Pradera, José Luis Coll, Luis Eduardo Aute y *tanti quanti*, incluidos, no se lo pierdan, Teddy Bautista y Ramoncín). Interesaba al nuevo Estado democrático liderado por González el lucimiento de los intelectuales y creadores, como garantía de credibilidad y airosa rúbrica al proyecto de renovación y desmemoriada convivencia, emprendido con el consenso de la mayor parte de la población. Y aquellos se dejaron agasajar complacientemente, con frecuencia infatuados por las ventajas de una nueva modalidad de «compromiso» que por vez primera en la historia los alineaba con el bando ganador.

Acerca de esto último, poseen una enorme ejemplaridad los alineamientos respecto al referéndum sobre la permanencia o no en la OTAN, celebrado en 1986. Había de ser el mismísimo Juan Benet —a pesar de ser muy crítico con «las evidentes contradicciones y culpables errores de los dirigentes socialistas»— quien impulsara y redactara un manifiesto en respaldo al «sí» que propugnaba el Gobierno, después de una campaña llena de ambivalencias que indispuso a buena parte del electorado en contra de la Alianza. El manifiesto obtuvo, entre otras muchas, las firmas de personalidades como —las espigo del primer listado con el que he topado en internet— Julio Caro Baroja, Eduardo Chillida, Antonio López, Rafael Sánchez Ferlosio, Jaime Gil de Biedma, Jorge Semprún, Adolfo Domínguez, Oriol Bohigas, Juan Cueto, Juan Marsé, Luis Goytisolo, José María Guelbenzu, José Miguel Ullán, Assumpta Serna, Álvaro Pombo, Luis Antonio de Villena, Beatriz de Moura, Sancho Gracia, Santos Juliá, Luis de Pablo, Javier Pradera, Michi Panero, Tomás Llorens y un largo etcétera.

Tanto como el que fuera Juan Benet el promotor de este manifiesto, sorprende ver entre sus firmantes a Rafael Sánchez Ferlosio, caracterizado por su enconado antibelicismo y su antimilitarismo, y autor, dos años atrás, del más temprano y contundente aviso de los lodos a que estaban destinados a convertirse aquellos polvos que, desde la llegada del PSOE al poder, se estaban dando entre el estamento político y cultural. De 1984 es el tronante artículo publicado por Ferlosio en *El País* bajo el título «La cultura, ese invento del Gobierno»,[2] con razón recordado una y otra vez cuando de la CT se trata. Durante más de veinte años, este artículo ha podido leerse como una pieza de estricta actualidad, lo cual constituye un indicio inequívoco de que el mal que denunciaba arraigó muy profundamente en la cultura española, incluidos sus taifas autonómicos.

Ciertamente, la complicidad que, al poco de morir Franco, se estableció en España entre la clase política y la intelectual, solo puede explicarse si se entiende que, como escribiera Vázquez Montalbán en el ensayo citado más arriba, desde mucho antes «se habían creado las condiciones materiales para que el supuesto milagro político de la Transición consistiera simplemente en la adecuación de unas superestructuras de poder a lo

2. *http://www.elpais.com/articulo/opinion/ESPANA/UNIVERSIDAD _INTERNACIONAL_MENENDEZ_PELAYO_/UIMP/PARTIDO _SOCIALISTA_OBRERO_ESPANOL_/PSOE/cultura/invento/ Gobierno/elpepiopi/19841122elpepiopi_7/Tes*

que en la base material ya se había dado: la conformación de una sociedad fundamentalmente burguesa, cuya vanguardia, militara en la socialdemocracia o en los centros democráticos, había de ser la gran protagonista y beneficiaria de la Transición y la que aportaría cuadros, cargos y dirigentes a casi todas las formaciones políticas y todos los estamentos de poder, que son la verdadera silueta del *establishment* democrático».

Serían los representantes de este *establishment* quienes fijaran, según Vázquez Montalbán, el gusto de lo culturalmente correcto a la par de lo políticamente correcto. Y lo culturalmente correcto, por aquellos años, consistió en el arrinconamiento de toda actitud abiertamente crítica en aras de un espíritu conciliador y ecuménico que celebraba la cultura como fiesta, es decir, como ámbito segregado de las tensiones sociales y políticas, como un lugar de encuentro y no de confrontación.

«Lo literariamente correcto en los años setenta y buena parte de los ochenta fue lo culterano y lo ensimismado, prohibida por implícito decreto una literatura que tratara de forcejear con la realidad y utilizarse a sí misma como propuesta de conocimiento y proyecto», escribía Vázquez Montalbán, quien añadía poco más adelante: «Una vez conseguida la modificación de las superestructuras para homologarlas con lo democrático, la ambición democratizadora ancló en el primer puerto de llegada. No fue más allá. Y es que con la democracia llegó a España la ofensiva cultural neoliberal desacreditadora de la dialéctica y de la crítica, y legitimadora de la fatalidad intrínseca de la realidad y la internacionalización capitalista del sentido de la historia y de la cultura».

En un balance de la novela española realizado en 1980, Juan Benet observaba cómo, desaparecido Franco —«el fantasma que había atormentado de tal manera a la cultura española»—, se produjo «un momento de alegría, de súbito renacimiento, de despreocupación por el pasado y nuevas aspiraciones, de un regocijado desprecio hacia el catafalco del régimen». En aquellos años, concluye Benet, en referencia a los inmediatamente posteriores a la muerte de Franco, «la cultura española tuvo algo de *kermesse*».

Pero el mismo diagnóstico había de servir para toda la década de los ochenta, en la que las «nuevas aspiraciones» del *establishment* cultural, una vez alcanzado el objetivo de la homologación democrática, se emplearán de lleno en homologar la cultura española —una cultura tradicionalmente crítica y resistente, como ya se ha visto— a la cultura de consumo propia de las democracias capitalistas.

La nueva legalidad cultural se ordenó, en los ochenta, conforme a las tendencias de la más roma industria cultural. La noción de público, en la que todavía cabe un margen de interlocución, quedó definitivamente desplazada por la de mercado. También en este punto los intereses de la política y la cultura confluyeron.

El clamor colectivo en cuyo marco escribí yo los dos artículos que sirven de base a este breve ensayo abrió, hacia mediados de los noventa, la expectativa de un cambio de actitud, de una cierta rectificación del camino recorrido. Concluía yo el primero de esos artículos señalando varios ejemplos de novelas —Rafael Chirbes, Miguel Sánchez-Ostiz, Mercedes Soriano— en las que la Transición empezaba a ser objeto de una revisión crítica, lo cual permitía albergar la esperanza de que ese cambio, en efecto, había empezado a producirse. A esas voces —por ceñirse aquí al campo literario— no cesarían de sumarse pronto otras más rigurosas y exigentes (la de Belén Gopegui en los noventa, la de Isaac Rosa a comienzos de los dos mil), al tiempo que se convirtió en poco menos que un lugar común la execración de algunos de los rasgos que caracterizaron la cultura de los ochenta, muy en particular el manto de silencio con que se había cubierto el trauma de la Guerra Civil y su prolongación durante el franquismo.

Con la victoria de Aznar en 1996 parecía llegado el momento de un rearme crítico de la cultura española, en los términos en que lo invocaba Vázquez Montalbán al final del ensayo que se ha venido citando, términos que admitirían ser trasladados punto por punto a nuestro presente:

«Si quitamos el estuche de esa ciudad democrática que ha construido la Transición y que acaba de entregar definitivamente en manos de la nueva derecha, el Partido Popular, veríamos que es una suma de pavorosas pobrezas, no me refiero ya estrictamente a las pobrezas económicas, aunque esa ciudad acumula la antigua y la nueva pobreza, sino de terribles pobrezas morales, ideológicas y de proyecto. Aplicar la literatura a esa crítica me parece una necesidad, sobre todo para la propia realización del escritor que se pueda enfrentar a esa confusión o a esa falsificación de los códigos que plantea la sociedad».

Pero si estas palabras, escritas en 1998, cayeron entonces en saco roto, ¿cabe esperar que germinen en la actualidad? ¿Cómo pudo ser que no lo hicieran en ocho años de aznarismo? Recuérdese lo ocurrido el 12 de marzo de 2004, el día siguiente de la masacre de la estación de Atocha. Pese a los ocho años de Gobierno conservador, los artículos y las declaraciones de la mayor parte del *establishment* cultural aceptaban sin rechistar la versión oficial del atentado y cumplían mansamente la misión de adornar con líricos festones de luto la fraseología del Gobierno.

Cuando Zapatero llegó al poder no se había avanzado —al menos en términos generales— ni un solo paso en la dirección señalada por Vázquez Montalbán. Tampoco parece haberse avanzado gran cosa después de otros ocho años; años que, por lo que toca al *establishment* cultural, se podrían ilustrar con las ya famosas cenas «informales» que la ministra Ángeles González Sinde organizó «a título personal» con personalidades del «mundo de la cultura» para intercambiar pareceres sobre las cuestiones en que intervenía su propuesta de normativa sobre las descargas supuestamente ilegales en internet.[3]

He dicho más arriba que la Transición se caracterizó por el relegamiento de la historia en aras de la política. A su vez, y para consolidarse, la democracia española, tanto bajo el PSOE como bajo el PP, relegó la política en aras de «los mer-

---

3. *http://www.elcultural.es/version_papel/OPINION/28516/La_cena; http://acuarelalibros.blogspot.com/2011/01/la-cena-del-miedo-mi-reunion-con-la.html*

cados», como se dice ahora. Lo que puede entenderse por Cultura de la Transición no es otra cosa que la adaptación sin resistencia de la cultura española a este doble movimiento. Quienes piensen que en la actualidad se dan las condiciones para que la cultura española recupere una actitud crítica, deberán considerar hasta qué punto las condiciones de producción de intelectuales y creadores pueden romper con los imperativos y las inercias a que están sometidas, por parte tanto de una industria cultural como de unos medios de comunicación que han eliminado radicalmente de su horizonte dicha actitud, como no sea en beneficio de sus propios intereses.

La incomodidad y las suspicacias que despierta la red invitan a pensar en ella como el medio en que germina esa actitud crítica, de la que ofrece abundantes indicios y testimonios. Y puede que, en efecto, la red, sobre todo en estos momentos de oscurantismo ideológico y de crisis profunda en que parecen cerrarse todos los caudales susceptibles de perpetuar mediante el soborno de las subvenciones y sinecuras el clientelismo que ha terminado por impregnar la cultura española, ofrezca una razonable expectativa de cambio. Pero todavía está por ver de qué modo va a producirse desde allí el «asalto» a los —por así llamarlos— «poderes fácticos» de la cultura, y si en el camino no va a prevalecer esa sociabilidad feudataria y —nunca mejor dicho— reticular que la misma red propicia. Entretanto, da la impresión de que prevalece el famoso lema del príncipe de Salina en *El Gatopardo*: «Se tutto deve rimanere com'è, è necessario che tutto cambi». Y ahí siguen.

Saliendo al paso de la escandalera producida por la crónica que Amador Fernández-Savater hizo de una de esas cenas «informales» de la ministra Sinde a las que más arriba se ha hecho referencia, Elvira Lindo declaró, a la defensiva: «Antonio [Muñoz Molina] y yo asistimos a una cena privada y es absurdo saber nuestra opinión sobre ninguna ley porque no somos nadie». No podía haber expresado mejor aquello en lo que la CT ha convertido a sus representantes, que entretanto, en pago por su buena conducta, reclaman la intervención de jueces y policías para hacer valer sus derechos de propiedad. Intelectual, claro está.

Emborronar la CT
(del «No a la guerra» al 15-M)

Por Amador Fernández-Savater

Cultura de la Transición

El periodista Guillem Martínez[1] acuñó el término de Cultura de la Transición (CT) para nombrar la cultura —en sentido fuerte: maneras de ver, de hacer y de pensar— que ha sido hegemónica en España durante los últimos treinta años, la que nace con la derrota de los movimientos radicales de los setenta (movimiento obrero autónomo, contracultura, etcétera).

La CT es una cultura esencialmente «consensual», pero no en el sentido de que llegue a acuerdos mediante el diálogo de los desacuerdos, sino de que impone ya de entrada los límites de lo posible: la democracia-mercado es el único marco admisible de convivencia y organización de lo común, punto y final. La CT se dedica desde hace treinta años a poner ese punto y final (una y otra vez): «eso no se discute», «no sé de qué me hablas», «no hay alternativa», «o yo o el caos», «lo que hay es lo que hay», etcétera.

La CT es una cultura profundamente «desproblematizadora»: no se pueden hacer preguntas sobre las formas de organizar la vida en común por fuera de lo posible autorizado. Los conflictos y los problemas son fisuras potenciales en el *statu quo* y su reparto de lugares, tareas y poderes: quién puede hablar y quién no, quién puede decidir y quién debe limi-

---

1. *http://www.guillemmartinez.com/*

tarse a obedecer, qué palabra tiene valor y cuál es mero ruido, etcétera. Por tanto, es una cultura profundamente «despolitizadora», porque la política consiste precisamente en hacer
preguntas sobre los modos de estar juntos.

Cultura consensual, cultura desproblematizadora, cultura
despolitizadora, la CT se aseguró durante tres décadas el control de la realidad mediante el monopolio de las palabras, los
temas y la memoria. Cómo debe circular la palabra y qué
debe significar cada una. En torno a qué debemos pensar y
en qué términos. Qué debemos recordar y en función «de qué
presente» debemos hacerlo. Durante años, ese monopolio del
sentido se ejerció sobre todo a través de un sistema de información centralizado y unidireccional al que solo las voces
mediáticas tenían acceso, mientras que el público jugaba el
papel de audiencia pasiva y existían temas intocables.

En la CT, el consenso sobre las cuestiones políticas y económicas es absoluto: el sistema de partidos y el mercado no
son ni pueden ser objeto de discusión. Sin embargo, se esceni-
fica un conflicto permanente en el que estamos invitados a
tomar partido: PSOE o PP, izquierda o derecha, capitalismo
ilustrado o capitalismo troglodita, «las dos Españas». Esa po-
larización organiza nuestro mapa de lo posible. Se puede hablar sobre nacionalismo, la lengua o el laicismo, pero no sobre
la precariedad, los desahucios y las hipotecas. Se puede discutir sobre el tabaco, los límites de velocidad y los toros, pero no
cuestionar la representación política. La derecha extrema ataca agresivamente el derecho al aborto, el matrimonio homosexual y la asignatura de Educación para la Ciudadanía. La izquierda progre responde educadamente con gestos simbólicos
sobre el crucifijo en las escuelas, el multiculturalismo o el feminismo. Pero en cualquiera de los casos, la CT se asegura
siempre el monopolio de los temas y los enfoques.

El objetivo de la CT, su obsesión, es la «cohesión». Su
idea de la cohesión es que todos y cada uno aceptemos iden-
tificarnos con el papel que nos toca: la política es cosa de
los políticos; la comunicación es materia de los media; la palabra autorizada es un privilegio de intelectuales y expertos;
las alternativas marginales son lo propio de los movimientos

sociales; y, finalmente, la guerra de todos contra todos es la ley secreta de la sociedad. La CT se autojustifica como un árbitro necesario en esa guerra social.

Maurice Blanchot llamaba «muerte política» a una situación en la que delegamos todas nuestras capacidades (de pensamiento, de expresión, de decisión) en un «poder de salvación».[2] La CT es ese poder de salvación, la cohesión es su forma de muerte política y la gestión del miedo está en la base de su autoridad para clasificar y distribuir los papeles sociales.

El poder de la CT se ha ido vaciando con los años. Por un lado, han ido desapareciendo o disminuyendo los miedos que la CT administraba e instrumentalizaba en tanto que «poder de salvación»: golpe militar, terrorismo de ETA, ruptura de España, etcétera. Al mismo tiempo se han ido perdiendo los derechos colectivos asociados al Estado del bienestar (privatizaciones, recortes, precarización generalizada, etcétera) incluidos también en el consenso. La CT se percibe cada vez menos como protección y cada vez más como la fuente misma de los peligros contemporáneos.

Por otro lado, las nuevas dinámicas sociales y culturales erosionan la legitimidad de la CT: la gente joven consume cada vez menos CT y cada vez más cultura de mercado, la red habilita la posibilidad de un desborde del monopolio de la palabra que estaba en manos de los intelectuales y expertos CT, etcétera. En definitiva, es el nuevo contexto de globalización capitalista-neoliberal el que explica en gran parte el vaciado de poder de la CT.

La desafección con respecto a la cultura consensual, que tiene un recorrido muy largo y se ha expresado de mil formas distintas a lo largo de años (desde el fenómeno de la abstención electoral hasta los movimientos sociales), ha *organizado* el 15-M como un hecho masivo y completamente central (ya no marginal) en la sociedad. Evitando cuidadosamente los debates identitarios que nos capturan en el tablero de ajedrez de la política-espectáculo, el 15-M ha apuntado al mayor

2. Maurice Blanchot, *Escritos políticos*, Acuarela, Madrid, 2010.

de los tabúes en la CT al exigir «democracia real ya», es decir, afirmando que es el pueblo quien debe mandar y no los políticos ni el dinero.

«Democracia real ya» es un enunciado que altera completamente el monopolio de las palabras y los temas que ejerce cotidianamente la CT. Por un lado, es un rechazo desafiante, explícito y sonoro de la política de (todos) los políticos. Una política que, a nadie se le escapa ya, es pura gestión servil de las necesidades cambiantes de la economía global en un territorio nacional concreto. Por otro, abre el campo de la experimentación positiva a otras formas de pensar y organizar la vida en común. En esos procesos de experimentación, las luchas de poder típicas de la CT se sustituyen por la escucha activa, la elaboración de pensamiento colectivo, la atención hacia lo que se está construyendo entre todos, la confianza generosísima en la inteligencia del otro desconocido, el rechazo de los bloques mayoritarios y minoritarios, la búsqueda paciente de verdades incluyentes, el cuestionamiento y recuestionamiento constante de las decisiones tomadas, el privilegio del debate y el proceso sobre la eficacia de los resultados, etcétera.

Movimientos sociales que no son movimientos sociales

El 15-M es la mayor brecha que hemos visto aparecer nunca en el muro de la CT, pero tiene antecedentes. Movimientos como la insumisión al servicio militar o por la recuperación de la memoria histórica —contra nuestras particulares leyes de punto y final— han socavado profundamente las figuras y los relatos de la CT, pero creo que el 15-M se engarza más directamente en el plano subjetivo con esos otros momentos recientes en los que hemos gritado masivamente «no nos representan» y «lo llaman democracia y no lo es». Me refiero, por ejemplo, al «No a la guerra» en 2003, a la reacción social a los atentados terroristas del 11-M en 2004, al movimiento V de Vivienda en 2006 o a las movilizaciones contra la ley antidescargas a partir de 2009. Todos ellos son movimientos relacionados de diferentes maneras con la nueva época global y la pérdida de soberanía del Estado-nación (en tanto que poder autónomo de decisión y configuración de realidad).

En cada uno de esos movimientos, una fuerte carga crítica se expresó de modo muy inteligente para esquivar la criminalización, para interpelar a lo social sin dar cancha a los políticos, para escapar de los guetos y las identificaciones castrantes (identitarias, ideológicas, etcétera). ¿Quién era el «nosotros» del «No a la guerra», el 13-M, la V de Vivienda o la lucha contra la «ley Sinde»? Todos y nadie, cualquiera, diferentes afectaciones pudieron encontrarse en espacios abiertos para elaborar políticamente problemas comunes.

Los modos de politización que esos movimientos inauguran ya no corresponden con los de los movimientos sociales: ni viejos ni nuevos. No están convocados, protagonizados ni liderados por militantes o activistas, como en el caso de la okupación, la insumisión o la antiglobalización, sino por gente sin experiencia política previa; no extraen su fuerza de un programa o de una ideología, sino de una afectación sensible y en primera persona por algo que sucede; no se identifican a la izquierda o la derecha del tablero de ajedrez político que es la CT, sino que escapan a esa alternativa proponiendo un nosotros no identitario, abierto e incluyente en el que cabe cualquiera; no buscan destruir este mundo para construir otro, sino que buscan defender y recrear el único mundo que hay «contra» los que lo estropean, sin programa utópico o alternativa global de sociedad.

«Movimientos sociales que no son movimientos sociales», casi diríamos más bien objetos voladores no identificados. Difícilmente perceptibles para los radares del pensamiento crítico tradicional debido a su falta de pureza en lo que dicen y lo que hacen, a la dificultad para «sumarlos» a los movimientos sociales alternativos y/o antisistema. Algunos amigos los llamamos «espacios de anonimato» y los perseguimos desde hace años, completamente abducidos.[3] No es fácil:

3. *http://www.espaienblanc.net/FAQ-Frequently-Asked-Questions.html*

van y vienen, aparecen y desaparecen. Pero no se repiten, sino que se refundan y actualizan una vez tras otra. El 15-M resuena con toda esta onda de politización atípica.

«No a la guerra» (2003)

¿Cómo se activó la protesta multitudinaria contra la guerra de Irak? ¿Desde dónde? La fuerza del «No a la guerra» consistió en que desbordó constantemente todos los moldes tradicionales de la protesta: número y diversidad de gente, lenguajes y formas de tomar la calle, aparición de actores políticos no dados de antemano.

La izquierda oficial y sus medios de comunicación amplificaron el disgusto, el rechazo y el cabreo, pero no lo crearon, indujeron, suscitaron o provocaron. La izquierda alternativa ofreció citas, fechas y lugares para expresar y organizar el malestar, pero tampoco lo pautaron, ni le dieron forma o voz. La protesta atravesó la sociedad entera. Fue imposible marginalizar y criminalizar las protestas identificándolas como asuntos de «extremistas» y «antisistema». El «No a la guerra» activó políticamente un sinnúmero de formas de sociabilidad preexistentes, organizadas en torno a afinidades, parentesco, formas de vida, etcétera. Una multiplicidad articulada puso inesperadamente en crisis las nociones básicas de la CT que a diario nos parecen firmemente asentadas: ciudadanía, democracia, participación, representación política, legalidad, espacio público, etcétera.

La movilización no tenía ningún centro, era completamente difusa. Se acosaba a los «políticos de la guerra» allí donde aparecían. Los lugares de trabajo se convertían en espacios de debate. Las manifestaciones se prolongaban de manera imprevisible por la ciudad, resueltas a no abandonar las calles a la «normalidad». Se inventaron multitud de consignas para la situación: las famosas pegatinas negras y rojas interpelaban cotidianamente en la calle, se sacaban carteles a los balcones de las casas, los grupos de amigos o alumnos de un mismo colegio autoeditaban pancartas, los lemas ofrecían lugares comunes donde cabíamos todos («No a la guerra»). Quizá la imagen que mejor expresó este desborde fue la de un chico en Arganda del Rey que gritó «No a la guerra» en un mitin de Aznar y fue sacado a patadas del recinto: interrupción del monólogo del poder, espontaneidad e imprevisibilidad de la protesta, anonimato de los protagonistas, cierta ingenuidad e inocencia «apolítica», respuesta histérica de los poderosos.

En ese magma tan rico emergieron igualmente nuevas voces colectivas, como fue el caso de la Plataforma Cultura contra la Guerra. La peculiar entrega de los premios Goya funcionó al principio de las movilizaciones como un verdadero aldabonazo: la crítica aparecía donde menos se la esperaba. Más tarde nació la plataforma, donde se agruparon muy horizontalmente artistas de todo tipo y condición (actores, técnicos, músicos, etcétera). Ese colectivo de trabajadores de la cultura se politizó protagonizando con facilidad «natural» algunos de los gestos que marcaron más profundamente el estilo y el imaginario de las movilizaciones, como la protesta en el interior del Congreso, las pancartas con los rostros de los diputados populares a la cabeza de una de las grandes manifestaciones, los globos de luto volando hacia el Congreso al final de la manifestación que coincidió con la entrada del ejército estadounidense en Irak, etcétera. Actores políticos no identificados.

«En ese tren íbamos todos» (2004)

Desmintiendo la opinión de los que se apresuraron a enterrar el «No a la guerra», la intensidad de aquellas movilizaciones resuena con los acontecimientos acaecidos tras el atentado terrorista del 11-M en Madrid.

Tras el atentado, la CT se puso firme como un solo hombre (el famoso «sentido de Estado») para mantenerlo todo bajo control. Si el lema de la manifestación oficial, convocada para el 12 de marzo, fue «con las víctimas, con la Constitución, por la derrota del terrorismo», su sentido implícito era:

«Todos detrás de sus representantes». Sin embargo, el 11-M no se convirtió en otro 11-S. Todo lo contrario. El estado de sitio informativo no funcionó, el racismo no prendió, la lógica de la seguridad no se impuso y se desdibujó la línea divisoria amigo/enemigo. El miedo no vació las calles en favor del «poder de salvación» que es la CT, sino que la gente común expresó en ellas su duelo y su protesta sin dejarse marcar las formas ni los contenidos, hundiendo los monopolios del sentido y desafiando la muerte política.

El reparto jerárquico de lugares y funciones de la CT quedó revocado de manera fulminante: ni los políticos lograron representar, ni la calle enmudeció, ni los medios de comunicación pudieron construir la «opinión pública», ni los afectos quedaron relegados al ámbito de lo privado. Por un momento, la sociedad no estuvo definida en primer lugar por el «sálvese quien pueda», sino por la afectación sensible hacia lo que tenemos en común.

Frente al monopolio de palabra, se afirmó una toma de palabra masiva. Palabras de duelo, palabras de apoyo, palabras de denuncia. Palabra heterogénea, deslocalizada, dispersa. Consignas, poemas, mensajes escritos en todos los soportes, lugares e idiomas imaginables. En santuarios improvisados, en la calle, en la red. Esa toma de la palabra desbordó los canales autorizados y las mismas palabras-fetiche de la representación. Por arriba se hablaba de «España», por abajo se decía «todos somos Madrid». Por arriba se hablaba de «lucha contra el terrorismo», por abajo se decía «paz». Una multiplicidad de palabras disonantes que tampoco se organizó bajo las formas tradicionales de lo colectivo: sindicato, partido, asociación de vecinos o movimiento social.

Frente al monopolio de los temas, se cuestionaron las respuestas automáticas y se abrieron preguntas desde abajo: «¿Quién ha sido?». De pronto se hizo evidente qué tipo de cohesión es la que reivindica constantemente la CT: la de la tropa o el rebaño unidos por el miedo al enemigo. Pero el enemigo se desdibujó el 11-M. ¿Se trataba de ETA, Al Qaeda, el nacionalismo vasco, el islamismo radical, los árabes en general? Resulta que había una guerra («ilegal e ilegítima») en

Irak. Resulta que el Gobierno español la había apoyado y enviado tropas. Resulta que había mentido descaradamente sobre el origen de esa guerra. Resulta que entre las víctimas del atentado casi la mitad eran inmigrantes y muchos de ellos árabes. La calle desplazó con mucha fuerza la designación del enemigo el 13-M: «El enemigo es la guerra», «Madrid = Bagdad».

Frente al monopolio del recuerdo, se improvisaron mil santuarios asilvestrados por todos los sitios, al mismo tiempo que los minutos de silencio oficiales se vaciaban. Nadie se dejaba prescribir lo que tenía que sentir ni tampoco dónde debía expresarlo. Todo ello hablaba muy claramente de la necesidad profunda y masiva de espacios abiertos de comunicación e intercambio sin filtros políticos o mediáticos. Sencillamente, los resortes de la CT (sus políticos, sus medios de comunicación, sus expertos, sus rituales) no le servían a nadie para pensar ni sentir libremente lo que estaba ocurriendo. Una cultura entera entró así en crisis.

«No vas a tener casa en la puta vida» (2006)

Un correo anónimo circuló libremente durante meses a lo largo y ancho de la red. Convocaba concentraciones y sentadas en las principales plazas de las ciudades españolas para el día 14 de mayo del año 2006. El objetivo: protestar contra la catastrófica situación de la vivienda en España. Miles de personas se sintieron interpeladas y salieron a la calle.

No se trataba de una convocatoria centralizada y no había organizaciones convocantes ni movimientos de referencia. No se convocaba contra un enemigo; simplemente se expresaba un malestar, un problema («Hipoteca: cadena perpetua»). Para expresar este malestar, al estilo zapatista, se utilizaron palabras desprovistas de un significado político explícito («Vivienda digna») y se reivindicaba el mismo cumplimiento de la Constitución (artículo 47). Las sentadas rehuyeron la politización, eludiendo el encuadramiento en la izquierda o contra la derecha y al revés («Un chalet como el de ZP», «Un pisito como el del principito»). Eran incluyentes («Vosotros también estáis hipotecados») y muy bien aceptadas por la ciudadanía (sonrisas, aplausos, tolerancia ante los cortes de tráfico...), pero sin recurrir al imperativo «No nos mires, únete». Evitaron el enfrentamiento con la policía a toda costa, incluso después de las brutales cargas policiales producidas durante la segunda sentada madrileña y de las arbitrarias detenciones posteriores. Independientemente de su capacidad cuantitativa de convocatoria, no se autopercibían como un gueto y de ahí la alegría que circulaba.

El movimiento eligió como nombre una broma: V de Vivienda, en referencia al cómic y la película *V de Vendetta*. Lo hacía con la voluntad explícita de no ser nombrado ni representado, ni tan siquiera identificado. V de Vivienda no significaba nada, tan solo una ironía en la que, precisamente por no ser nada, cabía cualquiera. El conocido grito de guerra de V de Vivienda, que irrumpió con muchísima fuerza en el imaginario social, fue «No vas a tener casa en la puta vida». Se trataba de un eslogan que rompe el sentido común que acompaña a otros eslóganes utilizados comúnmente por los movimientos sociales: no ofrecía ninguna esperanza («Yes, we can»), no ofrecía ningún futuro («Por un futuro sin pobreza»), no ofrecía alternativas («Otro mundo es posible»), pero, sin embargo, acertó a exponer un malestar colectivo, hasta ese momento vivido —y sufrido— de manera individual y en silencio.

Si lo ocurrido tras el 11-M activó la huella latente del «No a la guerra», V de Vivienda resonó muy claramente con las movilizaciones del 13-M. Una autoconvocatoria que se autoorganizaba mediante la producción de consignas sobre el terreno y se percibía gozosamente como un espacio abierto que acogía el anonimato y la multiplicidad. Un espacio horizontal donde no se peleaba por la hegemonía de la consigna propia, sino donde la unidad se construía a partir de la escucha, porque estaba claro para todos que lo importante no era tanto lo que cada cual traía de su casa como lo que se podía elaborar juntos. Una movilización que buscaba comunicarse, replicarse, contagiarse y generalizarse dirigiéndose a cualquiera, interpelando a los malestares comunes que hay por debajo de las identidades de cada cual.

«Libertad en la red» (2009)

A finales de 2009 se conocieron las intenciones del PSOE de aprobar la ley Sinde, cuyo objetivo es permitir a una comisión dependiente del Ministerio de Cultura cerrar páginas de descargas sin proceso judicial previo (solo autorización de los jueces). La alianza entre la industria cultural, el *star-system*, los partidos políticos y los medios de comunicación mayoritarios para aprobar la ley Sinde muestra algunas de las líneas de fuerza que constituyen la CT. Y la lucha inédita que se ha desarrollado contra ella dentro y fuera de la red nos habla de la emergencia de un nuevo poder social que desborda su marco.

Desde el primer momento, la ciudadanía anónima que vive y construye la red se mueve, más allá de partidos e ideologías, para evitar la creación de una «policía de internet» y defender la red como espacio neutral, libre y común. La lucha atraviesa las dicotomías políticas clásicas como el eje izquierda/derecha y une a gente con una misma preocupación: el futuro de la red como espacio de libertad e intercambio. Desde el grupo activista Anonymous hasta la blogosfera de derechas, la oposición a la ley Sinde es tan masiva y heterogénea que resulta imposible identificarla, aislarla y criminalizarla. Una cultura de cooperación transversal transforma la diferencia en una potencia y no en un obstáculo para ganar luchas concretas.

La red no tiene representantes, y esa es en gran medida su fuerza. Aquí y allá hay gente con influencia (blogueros, abogados, etcétera) que funcionan como referentes y acuden ocasionalmente a conversaciones con los políticos de turno. Pero solo son portavoces puntuales de una inteligencia colectiva. No se piensan a sí mismos como representantes de la red y sus usuarios. Perciben perfectamente que su legitimidad se debe a que saben escuchar lo que pasa en la red, a que hacen público

lo que se mueve por abajo capilarmente, a que «mandan obe-
deciendo», como dirían los zapatistas. Es exactamente lo contrario de lo que ocurre con los sindicatos en el mundo laboral:
los sindicatos son una representación fija, establecida y auto-
rreferente que «despotencia» y vacía lo representado.

Nuevas formas de acción colectiva desafían la lógica de la
representación típica de la CT. Como explica Margarita Pa-
dilla, las luchas actuales ya no necesitan vanguardias que en-
señen el camino, sino grupos que faciliten herramientas políticas renunciando a su control. Colectivos activistas como
Hacktivistas y Anonymous, muy relevantes en la lucha contra
la ley Sinde, han actuado precisamente en ese sentido: dise-
ñar e implementar dispositivos inacabados para que otros
puedan tomar las decisiones y actuar, confiando siempre en
la inteligencia y autonomía de cada nodo singular de la red.[4]

A pesar de que la ley llega a ser rechazada en el Parlamento, a pesar de que es muy dudosa y chapucera desde los
puntos de vista jurídico y técnico, a pesar de que los cables de
Wikileaks revelan que es el fruto de la presión estadounidense, a pesar del cuestionamiento social masivo, el PSOE insiste
machaconamente en sacarla adelante y lo consigue finalmente gracias al apoyo del PP y de CiU. Pero la ley se aprueba
completamente deslegitimada y los apoyos ponen a la vista
de todos la unidad de base entre la izquierda y la derecha de
la CT, su insensibilidad común a la opinión de la gente cuando no puede ser instrumentalizada y el desprecio absoluto a
la participación política fuera de los canales convencionales.

«Nosotros no somos antisistema, el sistema es anti-nosotros» (2011)

Como hemos visto, la CT es un poder de representación, un
poder de clasificación y un poder de despolitización. Para za-
farse de su poder, los «movimientos sociales que no son mo-

---

4. *http://www.unalineasobreelmar.net/politizaciones/in-dex.php?title=Politizaciones_en_el_ciberespacio*

vimientos sociales» practican «el arte de esfumarse». No me
refiero a la estética de la desaparición, sino a la técnica del
esfumado que hizo célebre Leonardo: difuminar los contor-
nos de las figuras para lograr un efecto de neblina sobre la
obra. Es el secreto del famoso «misterio» de *La Gioconda*:
rebelión contra la nitidez y las líneas precisas que impera-
ban en la pintura académica de la época, asunción positiva de
la incertidumbre y la ambigüedad, apertura a los cambios y lo
inesperado.

Esfumarse no es hacerse invisible o construir realidades
al margen, sino «aparecer borroso»: camuflarse en las reglas
del juego para romperlas desde dentro; difuminar los contor-
nos identitarios para saltar las fronteras sociológicas e ideológicas que nos dividen cotidianamente; provocar una neblina protectora contra las etiquetas que nos estigmatizan o
criminalizan. Esa es también la fuerza del 15-M: su poder de
indefinir (o de emborronar).

El poder de clasificación de la CT busca etiquetar a los
que protestan, separar a los «ciudadanos normales» de los «radicales antisistema», marginalizar y criminalizar. Por su lado,
el 15-M trata de construir y reconstruir una y otra vez «espacios de cualquiera», conjugando conflicto y consenso, embo-
rronando la frontera dentro/fuera, vaciando el poder de los
estereotipos.

La ocupación de todas las plazas de España ha sido el
gesto más radical desde la autoconvocatoria frente a las se-
des del PP la jornada de reflexión del 13-M de 2004. La paradoja es que ese desafío masivo se apoyaba en los recursos
más ligeros: la no violencia, la idea-fuerza del respeto, el lenguaje despolitizado y humanista, la apertura sin límites, la
búsqueda a toda costa del consenso, la interpelación positiva
hacia la policía, etcétera. Sin el conflicto, el movimiento solo
sería una simpática forma de vida «alternativa» más. Sin el
costado empático e incluyente, solo otro pequeño grupo «radical» separado e incapaz de morder la realidad.

Hablando en concreto de la acampada de Sol que conocí
directamente, siempre me pareció que los acampados sabían
muy bien que su fuerza estaba «fuera» de Sol. O, mejor dicho,

que la fuerza estaba en el vínculo vivo con lo que un amigo llama «la parte quieta del movimiento»: la población tocada y afectada por Sol, aunque no participase directamente en la acampada. La acampada de Sol nunca buscó la «separación» y por eso suscitó tantos flujos de solidaridad dentro/fuera (tan solo el tercer día tuvo que hacerse un llamamiento para que los vecinos de Madrid dejasen de llevar comida que ya no se sabía dónde almacenar). Nunca se planteó como un afuera utópico ni como otro mundo posible, sino como una «invitación» al otro desconocido a luchar juntos en un plano de igualdad.

Los estereotipos son una técnica y una estrategia de gobierno. Pretenden separar a los que protestan del resto de la población, como si no compartiesen nada. «Veis, no son gente normal, son violentos, perroflautas, antisistema, en definitiva, lobos con piel de cordero.» Los estereotipos nos distancian. Impiden que se abra un espacio donde reconocernos en problemas comunes. Sustituyen el entendimiento sensible por una imagen prefabricada (y generalmente denigratoria). Evitan que algo, lo que sea, nos afecte. El 15-M ha mostrado una gran inteligencia al respecto y desde el principio se ha esforzado con mucho ingenio por vaciar el poder de las etiquetas que nos dividen artificialmente: «Nosotros no somos antisistema, el sistema es antinosotros».

Las exigencias de nitidez y líneas precisas que imperan en las visiones CT de la política están desconcertadas ante el 15-M. ¿PSOE o PP? ¿Izquierda o derecha? ¿Libertarios o socialdemócratas? ¿Apocalípticos o integrados? ¿Reformistas o revolucionarios? ¿Moderados o antisistema? Ni una cosa ni la otra, sino todo lo contrario. No hay respuesta a la pregunta (policial) por la identidad: ¿quiénes son? ¿Qué quieren? El 15-M es una fuerza política pero antipolítica: plantea preguntas radicales sobre las formas de organizar la vida en común que no caben y trastocan el tablero de ajedrez político de la CT. Neutralizar esa potencia de interrogación pasa por asignarle una identidad: «son estos», «quieren esto». Los políticos y los media presionan para que el 15-M se convierta en un «interlocutor válido» con sus propuestas, programas y alternativas. Saben que una identidad ya no hace preguntas, sino que ocupa un lugar en el tablero (o aspira a ello). Se convierte en un factor previsible en los cálculos políticos y las relaciones de fuerzas. Se vuelve gobernable, se vuelve CT.

La vieja política conspira dentro y fuera del movimiento para acabar con su poder de indefinición. Desde fuera mediante la represión, la coacción mediática, la insistencia en que «hay que definirse» para ser un agente político serio; desde dentro, a través del miedo al vacío, del fetichismo de los resultados (como si los resultados no estuvieran ya contenidos en el propio proceso), de los tiempos de la urgencia en la movilización o de los elementos ideológicos que querrían que el movimiento fuera más explícitamente «algo» (un movimiento social, un movimiento de izquierdas o un movimiento revolucionario). Por eso, como dijo alguien en una asamblea en Sol: «Prisa y definición son nuestros enemigos».

Un mes en el que la CT enfermó

Por Gonzalo Torné

Supongamos que es jueves o miércoles, un día laborable. Supongamos que son las seis o las siete, que hemos salido sin el llavero de casa y que nos han invitado a cenar a las nueve y media, quizá a las diez. Supongamos que hace un día fresco y algo desapacible, quizá ha llovido y por eso el alquitrán está húmedo, las calles parecen azules y las recorren ciudadanos que andan más deprisa de lo habitual, como si quisieran recuperar cinco minutos de retraso en relación a un horario ideal, como si quisiesen llegar antes a casa, quitarse la ropa mojada y descalzarse. Rebuscamos en los bolsillos, pero nos hemos dejado las llaves en casa, las visualizamos, definidas e inservibles, encima del DVD, supongamos que tampoco experimentamos una prisa adicional.

Supongamos ahora que el centro no nos queda lejos. De no ser porque el agua nos está estropeando los zapatos, de hecho, bajaríamos andando. También pensamos en entrar en un café, hay tantos reclamando nuestra atención, brillando tras los escaparates como cubos luminosos... No es el barrio más familiar, pero aquí, allí y allá asociamos una tarde de buena conversación, una mesa donde luchamos media hora por zafarnos de un pelma, de una pesada, unas lámparas bajo las que nos esforzamos por que el otro no se levante antes de tiempo y nos deje atrás.

Supongamos que en la oficina, en el hospital, en el almacén, en la tienda, en la escuela, en el despacho, ha sido una jornada tensa, ha sido solitaria, nos han enervado, nos han puesto de buen humor, los nervios a flor de piel, cualquier estado anímico en el que anticipamos el engorro de pasar una hora solos (¡y tenemos tres o cuatro por delante!). Supongamos que preferimos encontrarnos con gente, mover los ojos sobre sus figuras, saludarnos, soltar palabras, escucharlos con diversos grados de atención, descansar de nuestros enredos, incluso puede ser divertido, supongamos que logramos convencernos, a veces lo es, sí.

Reparamos entonces en un acto al que nos invitaron por correo, del que supimos por un SMS, del que alguien nos habló mientras lo escuchábamos distraídos, atentos, fingiendo interés. Supongamos que se trata de una presentación, de una conferencia gratuita, de una mesa redonda... El tema no nos apasiona, no ocupará por completo nuestra mente, dejaremos fluir otras descargas cerebrales, pensamientos emboscados en otros pensamientos, ensoñaciones que se prolongarán en recuerdos que se prolongarán en proyectos, expectativas, pequeñas malicias, en fantasías anticipadas sobre la cena en la que probablemente sí hemos depositado grandes esperanzas sociales. Pero tampoco estamos completamente desmotivados, es un tema próximo, nos interesó una vez, podemos imaginarnos profundizando en el asunto, conocemos a uno de los ponentes, hemos oído hablar de él y queremos asociar esa impresión auditiva a un juego concreto de rasgos, intuimos quién puede asistir: una mujer, un varón que nos llama la atención, que hace tiempo que pica la curiosidad de uno de los comensales de la noche, que nos hace sonreír a todos, al que miramos con malicia; si estamos listos, si estamos espléndidos, si somos precavidos, si nos sentimos descarados, traicioneros, amables, con una pizca de suerte llegaremos a la cena con una mercancía interesante.

Casi nos alegramos de habernos dejado las llaves en casa. En casa nunca pasa nada relevante.

Supongamos que el acto es en una librería, en un museo, en uno de esos edificios llamados de uso mixto (nada menos), supongamos que no encontramos a las personas a las que queríamos arrancar un pedazo de relato, supongamos que los ponentes no son los que esperábamos, que el calcetín húmedo ha empezado a enfriarnos los dedos de los pies, imaginemos el desánimo que se nos viene encima, como las dos o tres horas que nos faltan para la cena (y, francamente, tampoco el restaurante es para tanto) empiezan a inclinarse en una cuesta empinada; supongamos que la mente empieza a evadirse en imágenes, recuerdos, expectativas, y que, aunque mantenemos los ojos abiertos, la mirada se nos pierde, y que después de unos segundos revoloteando la fijamos en uno de los conferenciantes, un filólogo, un experto en algo, un ponente atildado como un pincel, una mujer asilvestrada, un tipo con la frente alta y despejada de las personas inteligentes, un cretino con expresión rumiante, alguien que, en cualquier caso, empieza a convulsionarse y en menos de cinco o tres segundos, antes de caer derrumbado por la intensidad de la impresión, experimenta cómo su cara se transforma en una cabeza de león (melena incluida), y que la transformación es el primer dato incontrovertible de lo que llevamos de relato: la sagrada sustancia del hecho objetivo, del que no vale dudar.

¿Qué diablos contamos ahora en la cena?

El asunto de la cabeza de león no es una añagaza narrativa ni una elección arbitraria, sino el ejemplo que Ludwig Wittgenstein escogió para ilustrar su *Conferencia sobre ética* y que, a mi entender, está directamente relacionado con lo que sucedió en los periódicos a partir del 15-M, mientras las calles se llenaban de personas que no querían volver a casa.

Pese a ser el texto más accesible de Wittgenstein, parte de la perdurable fascinación de la *Conferencia* radica en cierta cualidad enigmática que comparte con algunas de las parábolas kafkianas: nos fascina porque no termina de liberar su sentido. Wittgenstein arranca constatando que un uso de las palabras es señalar cosas que pueden ser comprobadas para verificar la verdad del enunciado. Pero añade que las palabras aspiran a moverse en una dimensión donde los enunciados remiten a estados que no podemos percibir. Cuando decimos «qué bien que el mundo exista» o «ahora me siento culpable» nos internamos en un uso ético del lenguaje que Wittgenstein compara con lo sobrenatural.

Cuando el lenguaje actúa en un sentido lógico recorta un mundo de lo posible, el conjunto de enunciados comprobables por cualquier usuario competente. ¿Qué pasaría si asistiéramos a la irrupción de lo sobrenatural en lo natural, de lo imposible en lo posible? Un ejemplo sería la repentina transformación de un hombre en león, y Wittgenstein nos asegura que hay dos maneras de encararlo: quien en nombre del sentido consolidado niega el hecho y afirma el milagro, y quien, ante aceptar el hecho entre lo natural, redefine su lenguaje y vuelve a expulsar lo milagroso del mundo. Este es el argumento de la *Conferencia* sobre la que flota una frase célebre a la que volveremos: «Si un hombre pudiera escribir un libro sobre ética que realmente fuese un libro de ética, dicho libro destruiría, con una explosión, todos los otros libros del mundo».

¿Cuál es el vínculo entre Wittgenstein y el 15-M? ¿Se transformaron los ciudadanos, les salieron melenas leonadas? La interpretación ingenua hablaría de una recuperación del vigor, de la fiereza adormecida, pero no olvidemos que el contexto en el que Wittgenstein habla no es la nota deportiva. Lo que irrumpió en el espacio público durante en 15-M no fue algo sobrenatural, sino lo inesperado en el ámbito de lo esperado, lo que les sobrevino a los medios de comunicación fue un fenómeno que no podían explicar con el lenguaje que manejan.

Este «lenguaje», entendido en un sentido amplio como el conjunto de normas tácitas de lo que se puede decir dentro del juego del sentido y de lo que debe quedarse fuera, se ha articulado en una manera de proceder a la que venimos llamando CT, y que el lector encontrará mejor explicado en diversos pasajes de este volumen. Para lo que nos interesa basta decir que en el núcleo de la CT se establecen unos intereses comunes entre los políticos y los grandes medios de comunicación y sus intelectuales, por el que estos últimos dejan de ser críticos y vigilantes del poder, para convertirse en sus custodios y pedagogos (cuando no en sus bufones).

Un ejemplo que me sacudió personalmente fue cuando Pascual Maragall acusó a CiU de llevarse sistemáticamente una comisión del 3 por ciento de la obra pública mientras estuvo en el poder. Pese a tratarse de la acusación de un presidente, y lejos de desatar un escándalo a favor de que se investigase la presunta sustracción de dinero público, los medios afines al PSC acusaron a Maragall de haber tenido un «descuido» (las palabras se acusan solas), mientras que los medios que juran por su rival no dudaron en tacharlo de irresponsable. Recuerdo bien cómo cuando expresaba mi sorpresa y mi indignación por el trato de la noticia, me encontré con frecuencia personas sensatas a quienes les parecía normal que un presidente se estuviese callado, y que la prensa defendiese el interés común de ¡los partidos políticos! Como si un considerable grupo de ciudadanos, del que mis interlocutores serían una muestra, hubiesen internalizado las normas de la CT como sus propias reglas de decoro.

La CT supone, a efectos prácticos, la «consolidación de un patrimonio cultural intocable», se admite la crítica y el debate siempre que opere dentro del lenguaje «patrimonial» (nacionalismo, ETA, lucha superficial de partidos, supremacía acrítica de los sentimientos, relevancia de lo sentimental), y se excluyen, según José Ángel Valente, las palabras «cuya simple aparición denuncia el funcionamiento patrimonial del lenguaje como un fraude o una usurpación». Porque de lo que estamos hablando aquí es de lenguaje confiscado: se limitan los temas (y los tonos) de lo que se puede hablar durante la comida. El principal damnificado de este secuestro del debate es el ciudadano, a quien se le estafa sustrayéndole información y a quien, con la excusa de protegerlo, se lo trata como una criatura inmadura, lo que ha contribuido a atrofiar el debate en el espacio común.

El primer problema que el 15-M planteó a los medios tradicionales fue cómo contar un fenómeno que no respondía al lenguaje de partidos ni podía reducirse a las pugnas nacionalistas, que ponía en tela de juicio asuntos que la CT considera consensos «patrimoniales», fuera del debate.[1] Ya no es solo que se tratase de un fenómeno complejo y difícil de explicar empleando todos los recursos del lenguaje, sino que si se que-

1. He intentado contarlo con más detalle en: *http://www.revistadeletras.net/los-simuladores-por-gonzalo-torne/*

ría emprender la tarea se corría el riesgo de reconocer hasta qué punto los medios se habían conculcado a sí mismos determinados temas, polémicas, capacidades retóricas. Al espacio público del que son intérpretes, le acababa de crecer una cabeza de león, y se encontraban ante el dilema expuesto por Wittgenstein: o lo consideraban una aparición sobrenatural y seguían por las rutas acostumbradas sin dar cuenta del fenómeno, o cambiaban de lenguaje.

Mi compromiso para este volumen era hacer un seguimiento de cómo la CT se resquebrajó en los medios ante la dificultad de dar cuenta del 15-M, pero a medida que iba leyendo y recopilando datos y entradas, me he dado cuenta de que la exposición exhaustiva de un material que está al alcance de cualquier lector sobrepasaba el espacio del que disponía, y que podía ser mucho más útil focalizar mi trabajo en pensar qué energías estuvieron en juego, cuáles fueron las tendencias generales y qué implicaciones futuras pueden calcularse.

Mi impresión es que los periódicos empezaron a subsumir el movimiento dentro de sus cauces de expresión «patrimoniales», para después ir cediendo espacio de página a la posibilidad de que en las plazas se estuviese planteando la impugnación de la política de los partidos, una denuncia a las medidas económicas consensuadas... La lectura no CT del 15-M no consiguió dominar ningún periódico importante, y tuvo que convivir con agresivos artículos que descalificaban el movimiento a lo bruto, y con las habituales columnas líricas, sentimentales, ensimismadas y estériles. Esta bipolaridad se ha trasladado también a los periodistas que unos días escribían CT y otros no CT, según el gusto, el grado de lucidez, o si les tocaba opinión o crónica. En Cataluña, el despiste fue completo al faltar el símbolo que permite la alineación inmediata en las filas del «a favor» o del «en contra»: el color de la bandera. Que en el 15-M no hubiese banderas desorientó a columnistas veteranos como Quim Monzó, quien, pese a los recortes sociales, solo ha visto en las manifestaciones a estudiantes aburridos y acomodados. Otro caso paradigmático es el de Pilar Rahola, quien en su estrambótica columna pasó de dar su apoyo sentimental *als nois de la plaça* (¿quién de nosotros no fue joven, hermanos?) a pedir el desalojo inmediato porque su hijo tenía derecho (no sé si poner la palabra entre comillas o en cursiva) a celebrar la inminente victoria del Barça.

En Cataluña, el desalojo a golpes, con un ejercicio de saña y violencia que pudo seguirse en la red a tiempo real, impulsó un doble movimiento: en un primer momento, reflotó la CT, con cierre de filas a favor de la decisión del *Govern* (descontados los dos o tres artículos tímidos, de contrapeso, paternales, sobre los posibles excesos de los *mossos*); resumiendo: el asunto había estado bien, pero ya era hora de guardar los juguetes, a casita, niños, a portarse bien, que es la hora de la austeridad. En un segundo momento, con el paulatino regreso de los ciudadanos a la calle, a los debates y a las manifestaciones, se hizo patente que el 15-M no era un fenómeno de exaltados, sino la expresión continua de un prolongado descontento, de una sólida discrepancia.

Si bien el 15-M no ha conseguido articular un discurso público efectivo, la visibilidad que ha obtenido en el espacio público ha obligado a articular un discurso que debe romper los límites del «patrimonio», y que, de manera indirecta, porque nadie va a inmolarse en público, pone de manifiesto la usurpación y el fraude cultural de las últimas décadas. En este segundo reflujo del movimiento, los periódicos han mantenido su doble rasero explicativo hasta límites colindantes con la esquizofrenia, liberando para el discurso no CT columnas de opinión y redacciones locales, y manteniendo en la CT la crónica y los editoriales. Entre medio, quedan piezas magníficas, inimaginables un mes antes, como el seguimiento de la oposición a los desalojos de viviendas por parte de entidades bancarias.

No solo fue la novedad formal del 15-M la que provocó que los medios tradicionales reaccionasen con respuestas no CT. También los azuzó la presencia de internet. En una conversación privada, el crítico de televisión Roberto Enríquez (Bob Pop) me señaló que la novedad de las manifestaciones no era descubrir que los medios a veces nos escamoteaban la verdad, sino que gracias a las cámaras particulares y a la emisión por internet podíamos ver cómo nos mentían en directo. Los medios tradicionales sufrieron un estrés de vigilancia. A cierta distancia de los hechos, cada vez tengo más claro que periódicos como *El País* o *La Vanguardia* vieron cómo la complacencia con el poder, el consenso plácido sobre el que llevaban navegando casi cuarenta años, quedaba amenazado por su principal razón de ser: el beneficio económico.

Cuando uno habla de empresas culturales (por evitar hablar de «empresas de comunicación»), el acento recae en «empresas» (sobre todo en un país donde el grupo Planeta ha sido propietario de *La Razón* y *Avui*, y donde los novelistas dormimos más tranquilos si no recordamos para quién trabajamos), y parece obvio que algunas alarmas sonaron cuando se percibió que una masa importante de clientes estaban interesados en que se dejasen de milagros, y les contasen de qué color era la melena del león y qué pretendía paseándose así por la plaza pública, o se irían a la red a enterarse.

Al fin y al cabo, muchos de los temas, teorías y tonos no CT que los medios se vieron obligados a adoptar no fueron creados *ex nihilo*, sino que llevaban años debatiéndose en internet, de manera que el 15-M también puede considerarse el violento movimiento peristáltico que los hizo aflorar a la superficie. Si bien la CT ha regulado las normas de la conversación en la cena, existe todo un caudal de información que se maneja en encuentros furtivos (pasillos, ascensores, probadores), o bajo mano, mediante papelitos; un caudal que internet lleva tiempo exponiendo y debatiendo. Por salirme de la literatura, la economía o la política, citaré un estupendo blog de ciclismo[2] donde su autor desmenuza y acusa post a post no solo las prácticas de dopaje de los ciclistas profesionales, sino la manera en que la prensa nacional (y patriota) defiende prácticas indefendibles para mantener limpios la mayor cantidad de tiempo posible a sus héroes (incluso cuando han dado positivo, incluso después de ser sancionados), gran reclamo para sus clientes-lectores. El blog es un estupendo ejemplo de cómo la prensa convencional da cobertura no solo a los deportistas tramposos, sino también de cómo apo-

2. *http://ciclismo2005.blogspot.com/*

ya a federaciones en las que el número de dopados se ha disparado más allá de lo tolerable, y su autor es muy hábil para localizar y desactivar las estrategias retóricas defensivas («nos tienen envidia», «no saben cómo pararnos») que apuntan a un consenso entre política, prensa y deportistas de élite, que explicaría, por ejemplo, porque apenas se ha hablado de uno de los motivos para negarle a Madrid la capitalidad olímpica: las sospechas de connivencia, tolerancia y encubrimiento de dopaje.

Trabajos como el de Sergio (pseudónimo del autor del blog), que no se basan en el resentimiento, sino en una actitud «ética» en el sentido que quiero explorar de inmediato, y escritos con un finísimo sentido del humor, son impagables porque encienden luces en el apagón informativo a que nos someten los medios en nombre del consenso y los intereses nacionales. Cada lector conocerá otros ejemplos que deben de ser igual de útiles. Pero ¿cuánto durará esta luz encendida y cuál es su radio real de difusión? Estas son las dos grandes limitaciones de internet: la motivación remunerada y la difusión. Ambas, por supuesto, quedan supeditadas a que se emprenda un proyecto capaz de financiarse y organizarse, alternativo a la CT, que la red ha sido de momento incapaz de articular. De manera que muchas energías y esfuerzos se malgastan en escaramuzas y ráfagas, voces escondidas en la marea de vanidad, mediocridad, frustración, periferia e incapacidad que copa la mayor parte de los blogs y portales de la red. Se me podría acusar de que el reto que aquí planteo atenta contra los criterios individuales y la espontaneidad de la mayoría de las «empresas» culturales valiosas de la red. Mi respuesta es que habría que preguntarse si la sensación de que un proyecto rentable y jerarquizado tiene que moverse directamente hacia la CT no es un prejuicio impuesto por la costumbre de vivir en un espacio público dominado por la CT.

Como he escrito en otra parte,[3] mi opinión sobre el 15-M es favorable. Si bien es cierto que no ha conseguido encauzar

---

3. *http://www.revistadeletras.net/que-sera-el-15m-por-gonzalo-torne/*

políticas concretas, le ha recordado al ciudadano su dimensión política, ha dejado abierta la posibilidad de emprender cosas al margen de los partidos, se ha impuesto como instancia vigilante. En cuanto al resquebrajamiento de la CT en los medios, haría una valoración parecida. Si bien no se ha producido el ansiado colapso, y uno tiene la sensación que muchos debates se dejan para un mejor momento que nunca llega, y siguen predominando las columnas de sublimidad inservible, el buenismo idiota y los berreos partidistas, algo sí ha cambiado. La CT ha sido puesta algo más en evidencia, es más difícil ejercerla de manera automática, ha aumentado el número de usuarios que sienten algo de vergüenza ajena. El ambiente se ha vuelto más «ético» en un sentido que espero que Wittgenstein admitiese.

Una puerta abierta solo para nosotros por la que no nos dejan pasar, un libro cuya escritura provocaría el estallido de todos los libros anteriores. Kafka y Wittgenstein son maestros de un arte muy difícil y casi exclusivo de ellos: la formulación de frases que parecen íntimamente conectadas a una verdad de la existencia, para las que no encontramos un contexto donde clarificar su sentido, y mucho menos agotarlo. Cualquiera sabe qué quería decir exactamente Wittgenstein, un filósofo cuyo fuerte no son las conclusiones, pero si tantos comentaristas interpretan en clave lógica una conferencia que se declara ética desde el título, parece legitimada la estrategia de ensayar una interpretación social de la sugestiva frase.

¿Qué sería, en cualquier caso, un libro o una novela «éticos»? Supongamos por un momento que la ética de un libro tiene que ver con la verdad. No con la verdad entendida como una «correlación» o una «coincidencia» con los hechos objetivos, puesta ya en entredicho por los grandes novelistas con complejos puntos de vista y perspectivas laberínticas; al fin y al cabo, la novela, al plantear una historia imaginaria, siempre propone un acceso indirecto (juguetón) a la realidad. Más bien se trataría de la verdad como una suerte de reconocimiento. Leemos y asentimos, decimos «sí», este pasaje, a través de personajes y situaciones imaginadas, expresa algo que en el plano político, personal e íntimo nos ha ocurrido, nos ocurre, podría ocurrirnos, «reconocemos» una posibilidad, una «verdad» posible, si se prefiere, de la existencia.

Si aceptamos provisionalmente este uso de «verdad», se entiende por qué reconocemos más «verdad literaria» en la siniestra fantasía de *La colonia penitenciaria* que en miles de novelas que elevan la documentación a una profesión de fe. Se podría decir que la imaginación creativa puede recuperar estratos de la verdad que el dato pierde, pero mejor recurrir a lo que Aristóteles ya sabía: el arte es más verdadero que la historia.

Un libro ético no sería aquel que se aplica en satisfacer una idea previa del bien, sino el que persigue por rutas gozosas o tortuosas, sin renunciar al punto de vista y al juego de las perspectivas, ciertos reconocimientos verdaderos. Mejor todavía: el libro que entrega los poderes imaginativos a una tradición de ideas heredadas, el que renuncia antes de empezar la partida a su mano izquierda o a mover el caballo, el que cumple con las normas para que su autor acceda a la distinción (o a la clase media, como deslizaba con lucida malicia Bolaño) es un libro triste (contrario a la «ética» en el sentido que hemos propuesto emplearla). La acumulación de novelas en esta línea configura una suerte de barrera de libros tristísimos que dificultan el acceso a las verdades que la literatura más viva intenta sacar a la luz: una barrera a la que se puede contribuir tanto desde los libros que suelen ponerse en las filas del «realismo» como desde aquellos que reclaman estar a la «vanguardia» (una oposición binaria «realismo/vanguardia» que solo sirve para marear la perdiz y esclerotizar el lenguaje crítico, buena, eso sí, para disimular las vergüenzas individuales en aras de fantasiosas empresas colectivas y guerras de poéticas). Un ejemplo de libro verdaderamente ético en este sentido podría ser el *Quijote* (o el *Lazarillo*) que, al hundir las manos en la «verdad» de la vida, puso de manifiesto la «irrealidad», la poquísima ética de las novelas de caballerías. No bastó con la publicación del *Quijote* para que el mundo se levantase en hogueras donde ardían las patrañas idealizadas de los caballeros, se necesitaron varios siglos para que los novelistas se tomasen en serio el esclarecimiento de la «verdad» de la política, el hombre y la sociedad, pero el germen ya se movía por el cuerpo, había empezado su infección, la salud de la literatura de caballerías se debilitaba, como suele decirse, por momentos.

En diciembre del año pasado tuvimos noticia (es un decir) de la muerte de Kim Jong-Il, presidente de la Comisión Nacional de Defensa y Comandante Supremo del Ejército Popular de Corea. Un hombre que, pese a todo el poder que concentraba, nunca pudo gobernar en solitario porque su difunto padre seguía ejerciendo de jefe de Estado en un insólito caso de plutocracia. Se cuentan a miles los libros que el padre de Kim escribió y que sigue escribiendo desde la tumba (o donde sea que esté), lo que constituye el ejemplo más grotesco que conocemos sobre un corredor de seguridad verbal en torno a la «verdad».

Una cultura ética bien podía ser aquella que se empeña en desatarse las manos y sacar de debajo de la mesa los nombres propios, el debate, la polémica y la disidencia que necesita para abordar la verdad (entendida, recordemos, como cierta adecuación con la realidad mental y corporal, privada y política de los ciudadanos). Es posible que el libro ético capaz de hacer saltar por los aires barreras asfixiantes como la de Corea, o lesivas como la CT, sea solo una aspiración, un modelo fuera de nuestro alcance. Pero también es plausible sospechar que cuando aumenta el volumen de ciudadanos que se interesan por una cultura que afronta sin deudas ni cortapisas su compromiso «ético», en el sentido que hemos supuesto en este artículo que Wittgenstein le da al término en la *Conferencia*, va a costar muchísimo trabajo volver a esconderlo debajo de la mesa.

Que no vamos a parar hasta que la barrera salte por los aires.

CT y política: la lucha por el punto medio. Del «pacto con el régimen, de entrada, no» a la victoria de la CT

Por Pep Campabadal

We the People of the United States, in Order to form a more perfect Union, establish Justice, insure domestic Tranquility, provide for the common defence, promote the general Welfare, and secure the Blessings of Liberty to ourselves and our Posterity, do ordain and establish this Constitution for the United States of America.

Constitución de los EE. UU., 1787

Consciente de la devastación física a la que fueron conducidos los supervivientes de la Segunda Guerra Mundial por un Estado impío y un orden social carente de toda conciencia del respeto por la dignidad humana, firmemente intentando asegurar permanentemente para las futuras generaciones alemanas la bendición de la Paz, la Humanidad y la Ley, y mirando hacia más de mil años de historia, el pueblo bávaro se concede por este medio a sí mismo la siguiente Constitución Democrática.

Constitución del Estado Libre de Baviera, 1946

DON JUAN CARLOS I, REY DE ESPAÑA, A TODOS LOS QUE LA PRESENTE VIEREN Y ENTENDIEREN,
SABED: QUE LAS CORTES HAN APROBADO Y EL PUEBLO ESPAÑOL HA RATIFICADO LA SIGUIENTE CONSTITUCIÓN:

Único texto en mayúsculas de la Constitución española, 1978

Aviones

En la Segunda Guerra Mundial, unos ingenieros alemanes recibieron el encargo de reforzar la seguridad de los aviones que habían debutado en el tour que montó el Caudillo en la Segunda República española. Dividieron los aviones por zonas y se pusieron a contar los impactos recibidos en cada una de ellas después de las misiones contra la civilización. Una vez hecho el recuento, observaron que algunas estaban convertidas en un colador y otras, por el contrario, presentaban menos impactos. Reunidos para estudiar las alternativas, tomaron el acuerdo de reforzar el fuselaje de las zonas más dañadas por los impactos. En ese momento, un señor presente en la reunión levantó el dedo y señaló que lo más conveniente sería reforzar las zonas que no presentaban impactos. Mientras el resto lo miraba con cara de póquer, explicó que los aviones que recibían impactos en las zonas aparentemente más seguras no volvían, mientras que los que los recibían en las zonas más castigadas podían volver a la base.

Lo que sigue es una propuesta de aplicación de esa lógica al cuádruple milagro político, social, económico y cultural conocido como Transición española. En este momento, la Transición y su hit más genuino, la Constitución española, han superado las tres décadas de vida, si bien si uno se las encuentra por la calle parecen más cerca de los setenta y cinco, snif. La lógica de la reparación de los aviones trasladada aquí es sencilla: hay zonas castigadas en el *pressing catch* practicado por los dos partidos que se turnan en el poder como en los días entrañables de la Restauración, en la oposición de los nacionalismos conservadores, o en las singularísimas relaciones entre la patronal y los dos sindicatos a los que les ha ido mejor la vida estos años. Por el contrario, hay zonas sin castigo aparente, empezando por todas las reivindicaciones que la oposición antifranquista decidió posponer «momentáneamente», y el resto de los límites vetados por la CT.

El punto medio me pega lo normal

En la Europa del siglo XVIII, el punto medio es lo más. Concretamente, lo más razonable, en el sentido ilustrado de la palabra. En Francia, por ejemplo, consiste en pasar a los Borbones por la guillotina.

Dos siglos después y un continente más abajo, el punto medio ha cambiado. Ahora es un difuso concepto político cuya función no solo no es guillotinar a los Borbones, sino que es todo lo contrario. El punto medio aparece por doquier en los años decisivos de la Transición y en los lugares más insospechados. Así, el punto medio entre una monarquía y una urna para elegir al jefe de Estado es, plaf, una monarquía. Lo mismo sucede con el punto medio entre el himno republicano y la «Marcha real», o entre la bandera republicana y la monárquica. Entre el laicismo y el nacional-catolicismo, el punto medio acaba situado en una casilla preconstitucional llamada concordato. Por su parte, el punto medio entre la aplicación de las leyes internacionales en materia de derechos humanos y las leyes de la dictadura al respecto acaba en una amnistía —que los fascistas aplican a los demócratas y, de paso, a sus propios crímenes—. En materia económica, el punto medio son los Pactos de la Moncloa, esto es: abaratamiento del despido y disminución del poder adquisitivo de los trabajadores a cambio de mejoras en las condiciones del trabajo sindical. Por lo que respecta a la organización territorial, el punto medio entre el Estado unitario, legado por el Caudillo, y un señor quebequés votando un referéndum de autodeterminación acaba siendo una «nación indisoluble» con «patria común e indivisible» y una alusión al papel del ejército para garantizar lo anterior. El punto medio no se interesa, en fin, por el federalismo —de hecho, lo prohíbe— y opta por un autonomismo unitario reforzado por la devolución del autogobierno a las «provincias traidoras» castigadas por el Caudillo.

En resumen, el punto medio en la España de la CT es el lugar a cubierto donde las izquierdas asumen el programa político, económico y social de la derecha. Lo hacen, además, celebrándolo como si se hubiera ganado el Mundial, presumiendo de generosidad y responsabilidad, y comprometiéndose a su defensa a un precio no necesariamente módico, como habrán comprobado en este volumen. Algunos intelectuales, como Javier Pradera, aconsejan paciencia a sus colegas más fogosos, vendiendo el punto medio como punto de arranque para un futuro esplendoroso si uno va despacito y sin riesgos para no acabar como en el 36. Al final, el dichoso punto de arranque acaba convertido en el punto y final. Concretamente, en su modalidad de «y punto», con nivel de decibelios de tertulia de taxi. El punto medio con copyright de la Ilustración, por su parte, reaparece en el mapa conforme la crisis política, social y económica española hace cristalizar el movimiento 15-M. Sin embargo, volvamos atrás.

El relato y la continuidad

Estamos en el momento donde la CT trata de apiñar —y lo consigue— toda la realidad en un punto, y está a un paso de aprender cómo ocultar el resto. Cuando las Cortes españolas se constituyen ya llevamos encima un buen rato de Transición. Dichas Cortes, de las que habían sido excluidas las formaciones republicanas, podían ser disueltas en cualquier momento por Su Majestad el Rey, quien a pesar de su predilección por la democracia cumplía con su responsabilidad dictatorial con su característica capacidad de sacrificio.

Las restricciones a la libertad de prensa —legales, por la responsabilidad penal de los editores en los contenidos y derivadas del ambiente intimidatorio de los «incontrolados» de las FSE— afectaban especialmente a lo publicado sobre el ejército, la monarquía y la unidad de España. Para hacerse una idea de cómo se acostumbra el pueblo español a las novedades, Arias Salgado explica en *El País* («El escrutinio mayoritario», 1-10-1976) en qué consiste la democracia con un sencillo ejemplo, el mismo día en que el gobernador civil de Guipúzcoa prohibía una manifestación de veintisiete entidades a favor de la enseñanza en euskera:

El partido franquista obtiene dos diputados a razón de uno por los distritos A y B. Por el distrito C, sale elegido el candidato demócrata-cristiano. Pero sumando la totalidad de los votos en los tres distritos resulta que la democracia cristiana ha logrado un solo diputado con 25.000 votos, mientras que el franquismo, con solo 47.500, consigue un diputado más, es decir, el doble.

El proceso está lleno de anécdotas poco simpáticas, como la entrega de los artículos más calientes de la ponencia constitucional en un sobre cerrado y con membrete militar. Al final, la lógica del punto medio gana por KO gracias a la utilización masiva de la generosidad y/o responsabilidad. Hasta ese momento, por responsabilidad se entendía que cuando a uno le piden que vigile un momento la copa, lo pertinente es vigilar que nadie se la lleve. Sin embargo, aparece un nuevo significado: silbar mirando al techo mientras la copa desaparece de la barra. O pimplársela. Las organizaciones que están fuera del régimen van abandonando su defensa de la república, la necesidad de juzgar los crímenes políticos de los vencedores, el federalismo, el derecho de autodeterminación, la participación de la política en la economía o la indexación de los salarios a la inflación. En algunos casos, pasándose tanto de frenada como para hacerse acreedoras, como es el caso de los sindicatos mayoritarios, de los más insospechados elogios durante este período: Florentino Pérez señaló (*El País*, 24-12-2006), después de afirmar en pleno *tsunami* de ladrillo que «este país causa admiración por ahí fuera no solo por las constructoras», que «el mérito es de todos, pero si tuviera que poner un acento especial lo pongo en los sindicatos, sin ningún tipo de duda».

El éxito de crítica y público fue apabullante. Con el avión reluciente —con excepción de rasguños como la pervivencia del terrorismo o la conversión del debate sobre la organización territorial en un choque de nacionalismos—, y con el PSOE en el Gobierno con mayorías absolutas, la CT da un paso al frente: lo que hasta entonces era una especie de «empate» entre vencedores y vencidos, pasa a ser empate con sabor a victoria y, al final, una goleada. O, por abandonar la terminología deportiva por otra más usada por los historiadores de la afamada Real Academia de Historia, un «milagro».

El tránsito de lo que la Ley Orgánica del Estado de 1967 calificaba como «Estado español, constituido en Reino» a la «Monarquía constitucional» de 1978 no está exento de turbulencias, pero se estabiliza el 23-F. Después, y cumpliendo con el deber de «moderación» que le otorga la Constitución, el Rey convoca a Suárez, González, Fraga, Carrillo y Calvo Sotelo, y les lee una carta (*El País*, 26-2-1981) en la que achica un poco más el dichoso punto medio:

> Sería muy poco aconsejable una abierta y dura reacción de las fuerzas políticas contra los que cometieron los actos de subversión en las últimas horas, pero aún resultaría más contraproducente extender dicha reacción, con carácter de generalidad, a las Fuerzas Armadas y a las de Seguridad.
>
> De la misma manera que el Rey está muy satisfecho por no haber perdido la calma y poder contribuir a salvar la situación —en algún momento crítica— dentro de las normas constitucionales, es necesario que todos los grupos políticos mantengan ahora la misma serenidad y prudencia.
>
> El Rey os lo pide encarecidamente en pro del mantenimiento del orden constitucional, de la democracia y de la paz.
>
> De lo contrario será preciso extraer meditadas consecuencias para determinar futuras normas de conducta.
>
> Mantenido el orden democrático, invito a todos a la reflexión y a la reconsideración de posiciones que conduzcan a la mayor unidad y concordia de España y de los españoles.

En el editorial del 25-2-1981 («Con la Constitución»), el mismo periódico considera «inverosímil la teoría del grupo salvaje encabezado por un trastornado al que secundaban unos cuantos oficiales fanáticos o desequilibrados y al que obedecían disciplinadamente suboficiales y números ignorantes del significado y alcance último de la acción emprendida». Al final, y gracias al escrupuloso seguimiento de los «consejos» de Su Majestad, el Consejo Militar considera un atenuante la «fidelidad a la Corona de la que dieron pruebas» los golpistas, uno de cuyos cabecillas acaba indultado en 1988, y únicamente se condena a un participante en la «trama civil».

El avión consigue, al fin, superar las turbulencias. Mientras, el pasaje se quita el cinturón y suspira aliviado; debajo suyo proliferan, como setas, torres de control, trenes de alta velocidad, circuitos, edificios singulares, museos y viviendas, dando una vuelta de tuerca al desarrollismo franquista. La Transición había finalizado con éxito y comenzaba la larga etapa de la recogida de nueces cuya principal característica es la sustitución de la realidad por un relato cuyo fin es perpetuar la CT y blindarla frente a todo cambio, ya sea transformador o reformista.

El pulpo como animal de compañía

Los avances democráticos y sociales producidos durante la Transición han sido amablemente glosados por los más reputados expertos, desde el tertuliano más rompepiernas, hasta el máximo goleador de la Real Academia de Historia —el de la magna obra sobre el Caudillo—. Todos ellos, bien y disfrutando de la sustitución del periodismo por bloques monolíticos al servicio de los partidos, y financiados generosamente por unas instituciones a las que hay que fortalecer en tanto que son la esencia de la democracia. El avión, en fin, brilla más que un Premio Torrevieja en la redacción del *Marca*. Sin embargo, la crisis morrocotuda y la rigidez del régimen —o su retroceso, como con la reforma constitucional amablemente sugerida por el BCE— aconsejan una revisión del depósito de combustible, no vaya a ser que tanta euforia acabe en paracaídas.

Hace años, la televisión emitió un anuncio de un juego de mesa que consistía en nombrar palabras con una inicial determinada que respondieran a una categoría determinada. En el anuncio, el propietario del juego amenazaba con no dejar jugar a nadie si no le aceptaban «pulpo» como animal de compañía que empieza por «p». En la Transición se aceptó pulpo como animal de compañía. De hecho, esa aceptación es el mayor hito de la CT, canonizado bajo la fórmula «sin vencedores ni vencidos». Lo que sigue es una poco exhaustiva relación de los pulpos que computaron en el marcador y que, snif, siguen computando ahora entre grandes críticas de la Real Academia de Fuselaje de Aviones.

En primera clase, el milagro económico de la Transición. Son treinta años de prosperidad, con la entrada en la UE y una sucesión de contrarreformas que han contribuido eficazmente a mantener y aumentar el poder de los yonquis del ladrillo y de los cabecillas de sectores regulados, como el eléctrico o el bancario. La tripulación, a la sazón conformada por los gestores de instituciones públicas, ha proveído abundantemente y ha sido generosamente recompensada. Algunos han pasado de azafata a pasajero: ministros de la dictadura abandonaron la lucha armada contra la población española para pasar a consejos de administración de grandes empresas —Martín Villa, Oreja—, movimiento que emularían más tarde políticos democráticos como Zaplana, Imaz o González, quien montó una empresa de capital riesgo junto con otros cargos socialistas, un descendiente de Pemán y ex trabajadores de Goldman Sachs, Merryll Lynch o Morgan Stanley.

Abandonando la primera clase, uno se encuentra a los protagonistas del milagro social, consistente en la reducción de la conflictividad de los setenta, una vez la CT dejó sentado que lo importante era el fortalecimiento de las instituciones. La posterior toma por las instituciones, ya democráticas, de todo tipo de asociaciones —desde los sindicatos, a las asociaciones de vecinos, pasando por parte de las ONG—, siempre con la benefactora intención de ayudar y de promover la paz social, hizo el resto. La exitosa desactivación de los movimientos sociales realizada por la CT, que reduce la participación política a un escueto «en la urna, y con la pata quebrada», ha tenido, años después, la consecuencia de una mayor facilidad para implementar todo tipo de disparatadas recetas económicas que, con la misma ardiente fe de los socialistas científicos, implementan los ideologizados creyentes de la economía científica. La partidización de empresas e instituciones, incluyendo la de un poder judicial capaz de cambiar cada día, antes de comer, lo aprobado por el pueblo en un referéndum o por un parlamento —ejemplo: un estatuto—, ha sido imparable.

Además de los debates llenapistas sobre el nacionalismo y la Iglesia, la CT tampoco le ha visto problemas a la pervivencia de conceptos premodernos, como los derechos históricos o la monarquía, por no hablar de la inaplicabilidad de las leyes internacionales en materia de crímenes para la humanidad, que con tanto tesón han tratado de aplicar —solo— fuera de España jueces de la aconstitucional sucesora del TOP, la Audiencia Nacional. Entre el «Dios, Patria y Rey» y las tradiciones democráticas locales, la cosa ha acabado en «concordato, nación indisoluble y Juancarlismo».

El do de pecho llega con el exitoso resurgir del nacionalismo español a caballo del terrorismo etarra. Aunando lo mejor de la CT y esa Brunete mediática que ha crecido al calor del bipartidismo y va camino de superar al maestro, el consenso sobre las virtudes del «ni vencedores ni vencidos» de la Transición llega a la conclusión de que, alehop, es inaceptable y antidemocrático negociar con violentos. El éxito masivo de crítica y público de la cruzada antiterrorista, realizada simultáneamente a la exportación de la lógica del terrorismo de Estado a la guerra de Irak, alumbró dos fecundísimas vías de I+D+i: la judicial, con su ley de partidos y la judicialización de términos como «entorno» o «entrañas», y la mediática, donde mediante los ágiles «dar alas» y «dar oxígeno» se equiparaba con terroristas a independentistas, nacionalistas, federalistas o constitucionalistas más partidarios de leer constituciones que de santificarlas.

En resumen, la aceptación del pulpo como animal de compañía, bandera de la CT, se ha producido en multitud de ámbitos, dibujando un punto medio que, snif, tiene poco que ver con el de los ilustrados franceses. Punto medio que, en ocasiones, excluye el concepto «perro» como animal de compañía, e insiste en las virtudes de ese pulpo que no son otras que aceptar, obedientemente, que las vías de investigación que van abriendo los malos son la verdad y la democracia.

El perro como animal de compañía

Convirtiendo todo lo anterior en la única lectura posible de
la democracia, la CT ha conseguido transformar otras cosmovisiones en lo no democrático o lo antidemocrático. Aun así,
la equiparación de la democracia con la Constitución, y su
única y posible interpretación en aquel aludido punto medio,
no ha impedido que el punto medio CT mire con abierta hos-
tilidad ciertas reivindicaciones con encaje constitucional, empezando por el desarrollo de la construcción «Estado social»
del primer artículo.

Los tímidos intentos por regular el derecho a la vivienda
han recibido collejas por estalinistas. Los que, esgrimiendo el
derecho al medio ambiente, han protestado contra la generosa manguera de cemento que ha regado las costas españolas
—motivando broncas europeas con el voto en contra de PP y
PSOE— han sido estigmatizados por oponerse al progreso.
Los que han reclamado formas de participación democrática
previstas en la Constitución, como las consultas o las iniciativas
legislativas populares, son acusados, como poco, de dividir y
desestabilizar. España es uno de los pocos estados de la UE sin
ley de transparencia: los poderes públicos, escudándose en la
protección de datos, han preferido mantener la opacidad y per-
seguir a los informadores. El derecho a la huelga, regulado
por una ley preconstitucional, se caracteriza por el establecimiento de servicios mínimos abusivos, superiores incluso a los
servicios recortados que motivan las huelgas. El derecho a un
sistema tributario justo, con más de un 70 por ciento de las empresas del IBEX operando en paraísos fiscales, y un IRPF en el
cual las rentas más altas pagan menos que las rentas medias, se
interpreta como ansias de venganza, mientras se acumulan las
subidas del IVA y los impuestos especiales. Como colofón, la
Constitución no solo reconoce el derecho al trabajo: obliga a
los poderes públicos a ejecutar políticas encaminadas a la con-
secución del pleno empleo, una de las promesas electorales
que ha llenado portadas en campañas electorales, cuyos resultados se entienden como un cheque en blanco en lugar de un
mandato para ejecutar un programa.

Si uno se sale de los límites marcados en la Transi.
—república como en Italia, autodeterminación como en Ca
nadá, federalismo como en Austria, anarquismo como aquí
hace algún tiempo, derechos del ciudadano frente al Estado y
a las corporaciones como en EE.UU., subordinación de los
bancos a la democracia como en Islandia, etcétera—, las cosas se ponen aún peor. Lo que en medio mundo forma parte
de la normalidad democrática —y está más en línea con el
punto medio definido por la Ilustración— aquí abajo es estar
en contra de la democracia y ser antisistema.

El deterioro político, democrático, económico y social ha
acabado provocando fenómenos como el 15-M, respondido
con críticas a su falta de concreción o resultados, y con una
reforma constitucional bipartidista impuesta con el personal
en la playa y sin derecho a votarla —incluyendo a todos los
menores de cincuenta y cinco años que tampoco votaron la
Constitución—. Con el foco del 15-M puesto en los abusivos
rescates bancarios, las redadas contra subespañoles o las eje-
cuciones hipotecarias contra ciudadanos arruinados, la CT ha
envejecido a ritmo borbónico en menos de un año. Con ciudadanos demandando aplicar lógicas democráticas a la economía, las instituciones se limitan a dar barra libre a los poderes económicos en una democracia canija y menguante
cuyos paganos, que son además sus víctimas, cada vez miran
más estupefactos.

La CT, un discurso cultural y una imposición de un punto
medio peculiar, que ha permitido colar el pulpo como animal
de compañía, prosigue, pese a su chochez, empeñada en que
grandes áreas del fuselaje democrático sigan intactas. Sin es-
trenar. Se trata de la democracia económica, la intensificación
y sentido de la democracia participativa, y amplias regiones
de los derechos colectivos e individuales. Posiblemente, todo
eso forma gran parte de lo que en 1975 se intuía, en fin, como
democracia, y lo que hoy, gracias al 15-M, se empieza a intuir
como democracia real.

Consensonomics:
la ideología económica en la CT

Por Isidro López

La Cultura de la Transición es, fundamentalmente, una cultura aproblemática, para la que meramente nombrar el conflicto social o político es un acto performativo de consecuencias terribles: el conflicto se vuelve real. Siendo así, la Cultura de la Transición se nutre, más que compite, con la ideología económica, el otro gran relato aproblemático acerca de cómo se ha producido la integración vertical de «la sociedad» en los últimos treinta años. Quedaría, pues, por aclarar cuáles han sido esas relaciones entre esa cosa a la que llamamos «cultura» y esa otra a la que llamamos «economía». Normalmente, quizá como parte fundante, o petición de principio, de un mismo relato de integración, se asume que la cultura es el ámbito del intercambio de ideas y visiones, mientras que el ámbito de la economía pertenece a estólidos tecnócratas que aplican con pulso firme aquellas medidas que su infalible ciencia prescribe. Sin embargo, basta con cuestionar que la economía tenga nada que ver con eso que se llama ciencia para que esa frontera entre lo cultural y lo económico empiece a volverse muy borrosa y, en su lugar, aparezca otro campo que bien podría ser el de la política. De hecho, si queremos designar este campo con un mínimo de precisión, más valdría hablar de economía política. En realidad, estas divisiones solo marcan cuanto se quiere alejar los discursos del disenso. Dicho de otra manera, puede que el apesebramiento de la Cultura de la Transición sea una peculiaridad española producida por la teología del consenso, pero entonces lo que podría haber sucedido es que se haya incorporado al terreno por excelencia del consenso, esta vez sí, común al capitalismo posmoderno: la economía. Antes de formular una tesis rotunda al respecto, la intención de este artículo no es sino esbozar las grandes líneas de fabricación del consenso en la economía para encuadrar la CT dentro de los contextos en los que toma sentido. Siempre teniendo en cuenta que, en 2007, estos consensos se rompen progresivamente y que hoy en día estamos en una situación en la que la economía política es, abiertamente, por fin, un terreno prioritario para la lucha política.

Mi apellido es Consenso: los Pactos de la Moncloa

En los años de la resistencia antifranquista, esos donde toma legitimidad lo que luego será la CT, la economía, tal y como luego la conoceríamos, simplemente no parece estar en el menú político. Cierto es que el término capitalismo se utiliza con bastante frecuencia, sobre todo entre los cientos de grupúsculos izquierdistas de la época, pero el referente es más bien una oscura entidad numinosa que se encarga, dialécticamente, de instaurar el mal y las tinieblas en el mundo que de un conjunto de relaciones económicas y sociales descriptibles y analizables sobre las que se articula el ejercicio del poder. Por otro, lado, dentro de una tradición muy española, el término «liberal» se asociaba sin demasiado problema con una especie de progresismo antiprohibicionista. Por ejemplo, la Desamortización de Mendizábal se glosaba como esa gran expropiación laica de tierras de la Iglesia y no como una gran desposesión de las tierras comunales que pasaron a manos de señores feudales a los que se quería convertir en capitalistas especializados en suelo, promotores inmobiliarios, diríamos hoy. Tampoco se podía articular una crítica propiamente económica sobre lo que habían sido las primeras décadas de gobierno franquista, con unos capitalistas industriales absolutamente escondidos detrás de la autocracia franquista, y por unos Planes de Desarrollo que marcaban una línea política mucho más cercana a la sensibilidad de los ingenieros que la de los economistas.

Esta última característica entronca directamente con la línea larga de la economía política franquista. Como ha sucedido en otros muchos casos de la periferia y la semiperiferia del sistema-mundo capitalista: todo el despliegue autocrático franquista era la consecuencia de una clase capitalista asustadiza e incapaz de tomar algo parecido a su «responsabilidad histórica». Las élites españolas necesitaban de una fuerte represión política de cualquier brote antagonista para poder sacar adelante el proceso de acumulación. Pero las mismas circunstancias que hicieron que el mando capitalista estuviera a cubierto del conflicto social bajo la máscara de la dictadura provocaron que la debilidad del poder político hiciera estallar un tipo muy determinado de conflicto social: las luchas salariales en los centros de trabajo. A finales del franquismo y a medida que se transformaba la antigua gestión ingenieril pura en un híbrido de liberalismo y desarrollismo representado por los tecnócratas del Opus Dei, la conflictividad laboral aumentaba. La consecuencia central de esta oleada de conflictividad social fue un aumento exponencial de los salarios reales que se prolongó hasta años después de la muerte de Franco. En términos culturales, lo más sorprendente de este fortísimo repunte de la lucha de clases es lo alejado que estuvo de los lugares donde se estaba fabricando la nueva ideología de la Transición, el germen de la CT. En gran medida, como decíamos más arriba, el discurso de la izquierda universitaria era otro muy diferente.

Este fenómeno no fue exclusivamente español; en todo el mundo capitalista se produjeron estallidos de reivindicación salarial que, junto con otros factores estructurales, terminaron por poner en graves dificultades la tasa de beneficio. Como en el resto del mundo capitalista, la respuesta fue un fuerte proceso inflacionista que significaba que los patrones simplemente trasladaban a los precios los aumentos salariales para no ceder ni un milímetro de los beneficios. En 1977 la inflación alcanzó el 40 por ciento. Los Pactos de la Moncloa de 1977 fueron la respuesta política a esta espiral de creciente poder de los trabajadores. El punto central de estos acuerdos fue la implicación de los partidos de izquierda, el PCE fundamentalmente y los recién legalizados sindicatos, en lo que se llamó la política de rentas, es decir, en el control de los salarios de los trabajadores. Por supuesto, hablar de controlar las demandas salariales en términos sociales no quiere decir otra cosa que desmovilizar. Así que los Pactos de la Moncloa, desde el mayor de los consensos, inauguran esta nueva función de los partidos y sindicatos de izquierda.

Respecto al consenso, ese artilugio conceptual sobre el que descansa la CT entera, se suele atribuir su paternidad a la Constitución, pero fueron los Pactos de la Moncloa los que abrieron esta dimensión al público y lo hicieron, precisamente, apelando a la esfera económica, ese lugar postideológico desde el que se gestionan las cosas sin necesidad alguna de hacer referencia a la política. El gran gurú de los pactos, el ministro de UCD Enrique Fuentes Quintana, lo explicaba claramente años después:

> La gran ventaja de 1977 respecto a la situación de 1931 es que en 1943 se había creado una Facultad de Económicas, de donde salieron muchos economistas. Y como dice Milton Friedman, yo no creo que los economistas sean de derechas o de izquierdas, sino que son buenos o malos. Los economistas de la izquierda eran buenos. Julio Segura (responsable de Economía del PCE) era un ejemplo. Y Carrillo estaba de acuerdo en lo que él llamaba sus economistas, entre los que también estaba Ramón Tamames.[1]

Pero, además, Fuentes Quintana decía más cosas sobre su criatura política. Por un lado, decía que los pactos inauguraban una etapa en la que el mercado, por fin, iba a «asignar trabajo y capital», lo que fuera del ámbito de la jerga economista quiere decir que se iban a suprimir progresivamente las regulaciones sobre los flujos de capital y los mercados financieros, y que el mercado de trabajo iba a precarizarse progresivamente para minar el poder de negociación de los

---

1. Entrevista en *Cotizalia*, 8-6-2007.

asalariados. Y también decía que estos pactos abrían la vía a la incorporación de España a Europa; esto significaba que las élites capitalistas nunca más iban a estar solas frente a la población, sino que estarían arropadas en un proyecto común junto a sus compadres europeos.

El extraño caso del neoliberalismo español

Enrique Fuentes Quintana fue uno de los últimos representantes de la expertocracia de tecnócratas franquistas. Una serie de economistas que desbloquearon las tendencias más autárquicas del régimen, desde una peculiar mezcla de desarrollismo latinoamericano con algunos elementos keynesianos, no incompatibles con la autocracia franquista. El Opus Dei lanzó su gran apuesta política en estos años produciendo en masa el tipo de experto que coparía estos puestos. Al menos en un sentido ideológico, el propio Adolfo Suárez era uno de estos tipos acondicionados para garantizar un relevo «suave» entre las élites, entendiendo por «suave» que el cambio de los resortes del poder económico no generase movimientos demasiado bruscos entre los grupos que lo controlaban. La alusión de Fuentes Quintana a Milton Friedman no era gratuita. Una vez acabada la tarea cuya pieza maestra eran los Pactos de la Moncloa, los tecnócratas van a ir dejando paso a otro tipo de economista y de discurso económico mucho más preparado para el combate: el neoliberalismo. Efectivamente, el programa, en abstracto, venía ya marcado por los Pactos de la Moncloa: mercado y entronque con Europa, pero los neoliberales se iban a encargar de sus especificaciones para el modelo español: destrucción del aparato industrial y reconversión de España en un país capaz de captar grandes flujos de capital transnacional por la vía de sus mercados financieros en inmobiliarios.

Durante los primeros ochenta, la contrarrevolución neoliberal fue fundamentalmente un asunto atlantista y anglosajón. Allí, la reacción se compuso de dos frentes relativamente bien diferenciados: uno económico y otro ideológico. El punto central de la ofensiva económica consistía en recuperar el beneficio económico de los agentes capitalistas y, dadas una serie de variables estructurales que impedían que este objetivo fuera compatible con la mejora de posición de todos los grupos sociales, esto tenía que hacerse a costa de revertir lo que habían sido los elementos redistributivos del régimen keynesiano: regímenes fiscales progresivos, Estado de bienestar, prioridad del pleno empleo, institucionalización de la lucha de clases, etcétera. La ofensiva ideológica funcionaba en el mismo sentido, pero de una manera indirecta: plantear abiertamente que el producto social, la riqueza, tenía que pasar, lenta pero inexorablemente, a manos de los más ricos, no parece un programa político especialmente apetecible ni persuasivo para la gran mayoría de la población. La operación semiótica se viste, entonces, de algo diferente: se señala a un grupo en concreto, los receptores de ayudas sociales, los sindicatos, y se le culpa de la mala situación económica y de la precariedad social de la mayoría, insinuando o diciendo abiertamente que esto ha sucedido por la existencia de un Estado que se entromete en «el mercado» —y este es otro clásico neoliberal—, una institución a la que, si se deja funcionar, produce bienestar por doquier. Con matices y variaciones, este discurso de las «dos naciones» —una nación de ciudadanos responsables frente a otra de vagos adocenados por la beneficencia del Estado de bienestar—, cuya maternidad se atribuye a Margaret Thatcher, ha sido una invariante del modelo neoliberal. Se trata, simplemente, y como ya hizo en su día el fascismo, de situar el foco del malestar en algún colectivo que no sean las élites económicas, para desplazar los ejes del conflicto, y con ellos, la descarga de los costes en los sectores sociales con menos capacidad de respuesta política. Una vez que este programa ideológico funciona, comenzar el desmantelamiento de los Estados de bienestar o un programa de amnistía fiscal a los ricos se vuelve mucho más sencillo. No hay que confundir este proceso con una retirada del Estado de la vida económica. Al contrario de lo que sostienen los neoliberales, este nuevo régimen necesitaba de una fortísima intervención del Estado, eso sí, con un sentido totalmente diferente. La acción redistributiva del Estado debía tender a transvasar recursos desde la mayoría de la población hacia los sectores más acomodados.

Este excurso anglosajón sirve para explicar que el neoliberalismo cultural no es una ideología del consenso, sino de un modelo de conflicto distorsionado que tiene como fin la recuperación del beneficio económico a costa de una ruptura entre sectores sociales que habían permanecido relativamente vinculados en la fase histórica anterior. Esto casa mal con las *consensonomics* heredadas de los Pactos de la Moncloa. Por eso, los equivalentes españoles del neoliberalismo atlántico tienen un perfil bastante diferente al de la señora Thatcher o Ronald Reagan. Se trata de tecnócratas reconvertidos que manejan al dedillo la misma ideológica del «libre mercado» de sus equivalentes angloamericanos, pero que, ¡ah, sorpresa!, militan en un partido de los llamados de izquierdas: el Partido Socialista Obrero Español. La tarea de dos tecnócratas criados por los rivales del Opus Dei, los jesuitas, Carlos Solchaga y Miguel Boyer, validos de Felipe Gonzalez en el campo económico, no pudo consistir en desarticular un Estado de bienestar que existía en versiones muy atenuadas en España, ni en culpabilizar a los receptores de unas inexistentes ayudas sociales. De hecho, hasta el segundo mandato del PP y, ya con todas las de la ley, bajo el Gobierno de Zapatero, no se puede hablar de una transposición más literal del neoliberalismo cultural atlantista. En esta época, la cosa iba más bien de redefinir la forma en que el capitalismo español obtenía sus beneficios, a partir de los puntos centrales acordados en los Pactos de la Moncloa: control de la inflación, desmovilización general, privatizaciones, etcétera. El centro de su actividad política fue el desmantelamiento de lo que había sido el motor económico español y mundial, durante la fase anterior y que, por cierto, también había sido el motor del conflicto social: la industria.

Volviendo a la cuestión: ¿cómo se fabrica el consenso en la ideología económica española? De entrada, una ofensiva centrada en la industria permitía contener los conflictos presentándolos como asuntos sectoriales o corporativos, y concentrándolos geográficamente en las zonas más industriales. Para seguir, el hecho de que fuera un partido nominalmente de izquierdas que acababa de conseguir en 1982 una mayoría absoluta abrumadora, el encargado de llevar el peso político de la llamada «reconversión» industrial, hizo que las medidas tomadas fueran vistas, en gran medida, como «males necesarios». Pero quizá el señuelo más fuerte lanzado para construir el discurso económico del consenso, al menos entre las llamadas clases medias, fue la idea de la integración en Europa como un objetivo absolutamente deseable que sacaría a España de su sempiterna inferioridad y traería niveles de vida «como los de los suecos». Que ese proyecto de futuro indiscutible tuviera «ciertas contrapartidas» era algo que, salvo para los afectados en primera persona, se estaba más que dispuesto a asumir. Antes de ver las líneas centrales de este discurso de la Europa redentora de todos los males hispánicos, es necesario recalcar que, al final del trayecto, el resultado de este proceso de reconversión y desmovilización emprendido por el PSOE de principios de los años ochenta es muy similar al que intentaba Margaret Thatcher con sus «dos naciones», pero sin la carga estigmatizadora. Importantes poblaciones de los cinturones industriales de las grandes metrópolis, o de las regiones industriales, soportaron los durísimos costes de las estrategias de recuperación del beneficio, mientras el resto de los sectores sociales, partidos y sindicatos vivía este proceso con total indiferencia esperando la llegada del «maná» europeo. No es difícil rastrear este momento en la producción propiamente cultural: se trataría de ese punto en el que los conflictos sociales y políticos desaparecen por completo de las novelas, las películas y la música para dar paso a una visión «posmoderna» y «desenfadada» de la España-marca.

Europa, Europa: más altos y más rubios

Es imposible entender las transformaciones que ha sufrido el capitalismo desde mediados de los setenta sin tener en cuenta cómo se han distribuido internacionalmente sus funciones, la llamada «división internacional del trabajo». Una de las grandes bazas que pudo jugar el capitalismo en crisis de los años setenta fue la supresión de los controles de capital y la liberalización de los flujos de inversión, que permitieron que los capitales circularan por todo el mundo, especialmente hacia Asia oriental, en busca de fuerza de trabajo más barata. En este movimiento se reordenaron las actividades económicas de todo el globo, dejando tan solo las actividades más lucrativas en los países más desarrollados, y deslocalizando a Asia, y luego a América Latina, todos aquellos sectores que podían funcionar con la cualificación de su fuerza de trabajo en condiciones de mucha mayor explotación que en los países centrales. Mientras tanto, se utilizaba este nuevo procedimiento para seguir disciplinando las demandas salariales de americanos y europeos. A España este proceso llegó por la vía de la UE. De hecho, las directrices neoliberales propiamente dichas han llegado a España por la vía de Europa. No porque se les haya impuesto a las élites locales una determinada doctrina, sino, muy al contrario, porque, durante mucho tiempo, la efectividad de las directrices que venían de Bruselas ha estado fuera de cualquier duda. Como señalaba Peter Gowan, en última instancia el proyecto europeo ha sido precisamente una forma de dotar de un proyecto transnacional coherente a las élites de los distintos países de la UE.

El período que media entre 1982, la entrada de España en la entonces CEE en 1986 y el «broche de oro» de los fastos de la Expo y las Olimpiadas en 1992, es el de la máxima exaltación europeísta de las clases medias españolas, el que contribuyó a que toda la política económica de la época fuera percibida como una especie de factor inevitable si se quería pertenecer al club europeo. Si se tira de hemeroteca, se podrá comprobar fácilmente cómo prácticamente cada semana, en *El País*, aparecían los grandes capataces del PSOE de la época —Borrell, Almunia, el propio Felipe González— planteando que no había alternativa a Europa, en los términos que quería Europa. Desde este cierre de filas en torno a la cuestión europea, se diseñó lo que sería el entramado económico español de los siguientes veinticinco años: España debía desarticular cualquier industria que pudiera competir con los intereses de Francia y Alemania, y tenía que privatizar las grandes empresas públicas de telecomunicaciones, energía y banca, dando entrada a capitales transnacionales. A cambio, la UE se comprometía a convertir a España en un gigantesco mercado inmobiliario y de consumo, a través del potenciamiento de las actividades financieras y bursátiles, del turismo, esa actividad bizarra que salvó al franquismo de la crisis industrial en los sesenta, y de una fortísima inversión en infraestructuras de transporte. Los bancos, las empresas constructoras, los monopolios privatizados, los grandes grupos de medios de comunicación y las promotoras inmobiliarias serían los nuevos sectores punteros del capitalismo español, y se presentarían en el nuevo orden transnacional nutridos con muy generosas dosis de gasto público. Mientras, a nivel europeo se iba construyendo todo un entramado institucional para preparar la unión monetaria, que elevaba los principios doctrinarios del neoliberalismo atlántico a nivel de leyes. En 1992, el Tratado de Maastricht fijaba el control del déficit público como prioridad para los gobiernos europeos, y el Banco Central Europeo nacía con el objetivo, casi único, de controlar la inflación. Curiosamente, en lugar del nivel de vida de los suecos que esperaba la *middle class* española, lo que llegó fueron las Olimpiadas y la Expo, mientras el gasto social no decrecía, pero tampoco aumentaba. De nuevo con niveles máximos de consenso, AVE y autopistas «adelantaron» a cualquier otra consideración social o económica. Los fastos del 92 fueron la escenificación de los poderes, casi «sobrenaturales», de este nuevo modelo que mezclaba el clásico patrimonialismo español con una incipiente financiarización. Por la vía de la expresión monumentalizada, estos dos macroeventos adelantaban los factores de lo que sería el siguiente ciclo de consensos económicos y sociales, la burbuja inmobiliaria.

La cultura de la burbuja: se respira consenso[1]

La euforia europeísta y su culminación en los fastos de 1992 estuvo reforzada por una realidad material entonces apenas conocida por unos cuantos expertos. El mercado inmobiliario, la prosaica compraventa de viviendas, era capaz de filtrar las fuertes entradas de capitales extranjeros hacia el consumo de las familias que tenían una vivienda. Esto fue lo que sucedió entre 1986 y 1992 y, con cinco veces más fuerza, desde 1995 hasta 2007. Esta vez sí, con un consenso con mayúsculas. Leyes hipotecarias, leyes de suelo, planes de infraestructuras, estrategias urbanas y regionales se volcaron con el objetivo de que los precios de la vivienda creciesen cada vez más. Durante todos esos años, la inmensa mayoría de los partidos políticos, sindicatos y organizaciones sociales estuvieron muy de acuerdo en apoyar todas las líneas de política económica que potenciaban el mercado inmobiliario y la construcción de viviendas. La teoría urbana de la máquina de crecimiento (*growth machine*) defiende que el crecimiento de los precios del suelo genera por sí mismo coaliciones de élites que pueden tener distintos intereses específicos, pero están de acuerdo, precisamente, en el hecho de que hay que crecer. Esto es lo que sucedió en todo el Estado español, en todas las Comunidades Autónomas, un número enorme de ayuntamientos y, en la medida en que esto se filtraba a la población por la vía de la propiedad de vivienda, logró además que, tanto esos sectores de clase media europeístas como importantes sectores de clase obrera que habían llegado a los años ochenta con vivienda en propiedad, percibieran el arreglo inmobiliario como algo inequívocamente positivo. Es la llamada «sociedad de propietarios».

De alguna manera, frente a los esfuerzos ideológicos de los Pactos de la Moncloa y del discurso europeísta, la burbuja inmobiliaria produjo un consenso «semiautomático». Es algo que en España ha sucedido pocas veces, pero que otros países con

---

1. Este punto está tomado del libro *Fin de ciclo*, Isidro López y Enmanuel Rodríguez, Traficantes de Sueños, Madrid, 2010.

más tradición de ciclos de prosperidad conocen bien: el rendimiento del ciclo económico es tan alto que genera su propio consenso. La única diferencia con otros casos es que, en la España de la burbuja, los salarios seguían bajando, las condiciones laborales deteriorándose y, cada vez más, el acceso a la riqueza inmobiliaria, la vivienda, tenía que hacerse mediante unos niveles de endeudamiento más altos. Lo sorprendente de este asunto es que durante los años centrales del ciclo inmobiliario, la economía política desapareció totalmente del discurso público y fue relevada por todo tipo de asuntos de orden «cultural»: nacionalismos, modos de vida, guerra contra el terror, etcétera. La combinación de factores de ciclo largo heredados de los Pactos de la Moncloa con las grandes directrices neoliberales que venían de Europa y el pleno rendimiento de la burbuja inmobiliaria lograron que la ideología económica se confundiera con una especie de ruido de fondo. Esto, por supuesto y de nuevo, a costa de suprimir la voz de aquellos que no pertenecían del todo a este modelo. Por ejemplo, los inmigrantes que llegaron en masa en esos años, los jóvenes que quedaron fuera de la propiedad inmobiliaria o que tuvieron que aceptar durísimas condiciones de endeudamiento, o el medio ambiente, si es que tiene voz propia, que sufrió enormes daños durante esos años.

Pero hay cambios profundos. Estos tres pilares de consenso se deterioran a ojos vista. Desde 2007 se ha venido abajo la burbuja inmobiliaria y financiera global generando un ciclo recesivo en el que los gobiernos, en el mejor de los casos, tan solo pueden contener el descalabro económico total. Además, los movimientos de 2011, desde el 15-M hasta Occupy Wall Street, han puesto otra vez en primer plano la injusticia radical que se esconde tras la ideología económica. El soporte silencioso del consenso neoliberal en España, la UE, se desmorona en una dinámica autodestructiva en la que los países centrales evitan la crisis social a costa de hundir las economías periféricas en la recesión. Y, para colmo, en España la CT encuentra cada vez más dificultades para cerrar sus operaciones de clausura simbólica del conflicto en un contexto en el que los problemas cada vez tienen menos posibilidades de formularse en términos «españoles». Bienvenidos a la política.

Libertad sin ira: qué fue de la crítica literaria (y cualquier otra) en la CT

Por Carolina León

En mi infancia, en un piso VPO que albergaba a dos niñas nacidas en los setenta, «Libertad, libertad, sin ira libertad» fue el frecuentísimo estribillo de las mañanas de domingo, digamos entre 1976 y 1989.

Ante este artículo, ninguna otra frase se me aparecía tan certera —y sarcástica— para describir el delirio del que intentamos despertar: la libertad sin ira de treinta años de cultura dirigida desde arriba, apuntalada por una crítica complaciente. Interviene mi abuela: «Pero ¿qué dices? ¡Si tienes libertad! ¡Mira cuánta libertad tienes! ¡Por mí como si te pones un rabo de conejo!».

Normal que ella lo viera así. Libertad sobre el papel, pero el rabo de conejo sobre los ojos. Muy *eighties*. Si veníamos de la censura, la represión y el silencio…, ¿qué hemos estado oponiendo en estos treinta años? ¿Cuál ha sido el papel de la crítica, en concreto literaria, en este escenario? Que la literatura es un vehículo para el apuntalamiento de las visiones dominantes y los relatos de poder es algo en lo que estaremos más o menos de acuerdo (¿alguien que piense que existe literatura inocente?). Que la crítica literaria que cuestione esas estructuras sea inexistente es un fenómeno propio de esta sociedad «libre y sin censura» que nos dejó Francisco a su muerte.

Quiero centrarme en el papel de la crítica literaria en nuestra CT, pero no está de más recordar que «como consecuencia de la ideología hoy dominante, que por su condición de tal se presenta como no ideología […], el término ideoló-

gico se circunscribe a ideologías antisistema [...]». Copio a
Constantino Bértolo, *La cena de los notables*.

En nuestra democracia rápidamente lanzada al acatar y
consumir, ese poder implícito en las representaciones literarias, fundamentalmente narrativas, fue desde el principio
apuntalado por los medios de comunicación social; y si bien
estos discursos se han visto arrinconados en el imaginario social por otros más masivos (ningún Antonio Muñoz Molina
es más influyente que un Ferran Adrià o, dándolo todo, su deportista favorito), la literatura sigue investida de prestigio: es
discurso público que moldea.

¿Qué nos han estado dando, sin ira, las páginas culturales
de los diarios, devenidas más tarde en «suplementos culturales», consumidos por una buena parte del país como guía espiritual y filtrado de lo válido? Un proyecto de cohesión. Estar en ellos era formar parte del canon. Si ha entrado en sus
páginas un nombre nuevo, ha sido para integrarlo. Mientras
todos nos creíamos libres, solo aquellos que hacían prietas filas con el pensamiento único no ideológico han sido asimila-
dos y tenidos en cuenta.

Dejando a un lado la «calidad literaria» de los escritores
y escritoras más «relevantes» de estas décadas, esa crítica
mainstream se ha regido por algunos preceptos:

- Leemos preferentemente lo que viene avalado por un
  gran premio.
- Aceptamos tímidamente narrativas sobre la memoria
  histórica, pero no nos planteamos demasiado el presente.
- Son bienvenidas las traducciones e importaciones de
  otras literaturas, valgan las europeas, estadounidenses
  (un furor) o latinoamericanas, que nos han valido para
  hablar de conflictos, abusos y problemas que no eran
  los nuestros.
- Condenamos al olvido a todos los escritores previos de
  nuestra tradición salvo, básicamente, a los de la Generación del 27.
- Nuestra Transición es modélica y somos la mar de li-

bres; el enemigo del presente, único y vil, es ETA (y nos tocará ver cómo hay quien no puede vivir sin ETA).

No es que Pombo, Marías, Matute o Vila-Matas no hayan escrito buenas novelas. Es que el proyecto se ha fraguado a expensas o a favor de determinado discurso. Y es la comunicación cultural la que ha apuntalado lo válido, apoyándose en el entramado de premios literarios y grupos editoriales. Hemos aprendido la doble lección de la CT: entras si tus ficciones sirven al modelo democrático postransición y se desenvuelven sin verdaderos conflictos con el presente; o bien tratas elevados asuntos metaliterarios, sin anclaje en la sociedad que los ve nacer. En caso contrario, no entras.

Su pan, su hembra...

Podríamos considerar 1991 el año bisagra en esto de lo literario CT. Han pasado trece desde la Constitución, se prepara la gran carga propagandística de aquel inolvidable 1992, y España es país invitado en la Feria del Libro de Frankfurt, Alemania.

Para refrendar ese momento, en *El País* (9-10-1991), Francisco Rico firmaba «De hoy para mañana: la literatura de la libertad ante la desaparición de la censura»: «Tenía que llegar y llegó: sin censuras a diestra y siniestra, sin el espejismo de cambiar el mundo con armas de papel [...], a la literatura española se le vino a las manos una libertad como en siglos no había conocido». Léase la hipérbole: «en siglos». Con un mal disimulado desprecio por la «ideología», señala que ha llegado el momento de la literatura del individuo, que a nadie más que a él mismo rinde cuentas. Viajes y zambullidas en la memoria personal, reconstrucciones de un pasado a gajos, alegorías más bien poco ásperas sobre vencidos y vencedores, cuando no sencillamente argumentos escapistas y tradiciones literarias absolutamente ajenas.

Rico lo dice sin querer (o se lo hacemos decir): «La ideología empezó a ser sustituida como marihuana del pueblo no solo por el deporte, los viajes y la buena mesa, sino además por las exposiciones, los bellos libros, la ópera, los conciertos... Por el atractivo escaparate» (y sigue, pero es más bonito dejarlo ahí). Su tono en 1991 es celebratorio de esa desactivación, tanto del gusto lector como, definitivamente, del trabajo autor y el trabajo crítico. Esos «bellos libros» dispuestos para el escaparate son disfrute estético, miel sobre hojuelas; no molestarán ni desestabilizarán la paz que hemos construido entre todos.

Pocos días después de ese artículo, nace *Babelia* (19-10-1991), pionero entre los «suplementos culturales» de este período, «dado que las secciones diarias necesitaban un complemento ante el incremento de hechos culturales que empezaba a producirse en el país. Estos cuadernillos especializados iban a ser el lugar para profundizar en el conocimiento de la cultura», escribe Emy Armañanzas en «La crítica de las artes en los suplementos culturales» (en *Espéculo. Revista de estudios literarios,* UCM).

Babelia ha sido el suplemento cultural de referencia y la cabecera CT literaria por motivos obvios. Lectores y lectoras de cierta inquietud lo hicieron suyo desde su aparición, para muchos no existía otro. Pero hay más: *El Cultural*, nacido en 1998, hoy suplemento de *El Mundo*, comenzó vendiéndose con *La Razón*; *ABCD de las Artes y las Letras*, derivado de la larga historia de *Blanco y Negro* y su previo *ABC Cultural*, y que hoy vuelve a tomar ese nombre; *Cultura/s*, de *La Vanguardia*, existe desde 2002.

La aparición de todos ellos es síntoma de la preponderancia que el mercadeo de la cultura adquiere en esta época, entendida como espejo social del buen rollo, funcionando a la vez como crisol de lo consumible (labor que ejercía, tiempo atrás, el catálogo del Círculo de Lectores) y como folleto semanal y vivo de la «fiesta» cultural de la que todos íbamos a sacar tajada (todos no, ya sabemos, y remitimos al conocido artículo de Rafael Sánchez Ferlosio, «La cultura, ese invento del Gobierno», en *El País*, 22-11-1984).

Por supuesto que la historia de estos espacios y el montón de páginas publicadas, semana tras semana, ha dejado pasar un poco de todo, incluidos sanchezferlosios de la vida; lo que queda es el residuo. Desde la atalaya de este punto felizmente difuso en que nos encontramos observamos, como paso a relatar, la estabilización de un modelo en que no podíamos, los críticos, divergir, disentir o meternos en berenjenales.

La canción de marras que cantaba Jarcha dice que por doquier veían «gente que solo desea su pan, su hembra, la fiesta en paz...». Salvo rara vez, el crítico ha contribuido a que la fiesta, propia de un jardín francés, se ornara de exquisitas buenas maneras y cero disensión.

Dicen los viejos

Es fácil estar de acuerdo con lo establecido cuando uno es lo establecido. De eso trata todo. Y en este país el que no participaba de la fiesta era un «disidente» o, mejor, un «resentido». Nadie.

La mayor parte de las veces, los poseedores de un discurso no normativo no han encontrado eco en los diarios de amplia difusión ni siquiera en las páginas de sucesos. Sin embargo, hemos podido disfrutar de ciertas anomalías, fallos en la Matrix.

El más conocido es aquel «caso Echevarría» que acabó en defenestración del crítico del que fuera el diario (*El País*, *Babelia*) donde desempeñaba su labor desde hacía catorce años. No por sabido vamos a dejar de recordar algunos pormenores: la crítica en disputa se llamó «Una elegía pastoral» (*Babelia*, 4-9-2004) y estaba dedicada a la novela *El hijo del acordeonista*, de Bernardo Atxaga. Desde la publicación de aquella crítica, Ignacio Echevarría vio cómo retenían otros textos entregados y, al obtener poca respuesta a sus preguntas, se dirigió al director adjunto del diario, Lluís Bassets, mediante una carta abierta: «¿Tiene sentido ejercer la crítica en un medio dispuesto a desactivar los efectos de la misma y a desautorizar a su propio crítico?».

Esa carta fue publicada en blogs y otros medios después de que el entendimiento entre el periódico y el colaborador hubiera hecho crac. En ella, el crítico recoge un comentario que le había hecho el propio Bassets en su respuesta: «"Se ha dicho", me escribías, "y supongo que te habrá llegado, que tu crítica era como un arma de destrucción masiva y que el periódico hace mucho tiempo que ha renunciado a utilizar este tipo de armas contra nadie"». Curiosa analogía.

Es fácil recordar que Ignacio Echevarría ya se había granjeado cierta fama de crítico mordaz. Voy a referirme otra vez a Antonio Muñoz Molina, merecedor en 1991 del Premio Planeta por *El jinete polaco*. En el texto que le dedicó entonaba frases como «[...] falla el armazón mismo ideado por el autor para encuadrar la búsqueda del tiempo perdido en que se sumerge el personaje [...]» o «[...] el regreso a Magina resulta tan acaramelado como un anuncio navideño de turrones y da pie a repeticiones [...]». El tono utilizado por Echevarría en el texto sobre Atxaga es algo más duro: «Cuesta creer que, a estas alturas, se pueda escribir así. Cuesta aceptar que, quien lo hace, pase por ser, para muchos, mascarón de proa de la literatura de toda una comunidad, la del País Vasco, cuya situación tan conflictiva reclama, por parte de quien se ocupa de ella, el máximo rigor y la mayor entereza».

Punto uno: Bernardo Atxaga es autor de Alfaguara, del grupo PRISA, dueño de *El País*, y esto es lo que dio la *vox populi* como principal motivo del «despido». Punto dos: conociendo el oficio del crítico a esas alturas y su amplio conocimiento de la narrativa contemporánea española, la novela debió de abultarle el occipital izquierdo. Punto tres: una crítica es diálogo con la obra, sus condiciones de creación y de recepción. En ningún caso es un arma, lo más que puede herir es el amor propio.

¿Cuál fue el problema de esa crítica? ¿Se podía haber disculpado y matizar, etcétera? Pasado el tiempo, creemos que Echevarría no perdió ese espacio de publicación por declarar «la enclenque consistencia de sus personajes», sino por revelar el entramado psico-ideológico debajo de esa ficción —y de otras ficciones recientes—. El motivo de aquel «despido» fue evidenciar que la visión ideal del pasado vasco dada por Atxaga era una falacia y que las condiciones que empujaban al protagonista a unirse a ETA estaban escritas de pena. Mejor como lo dice el crítico: «Inservible como testimonio de la realidad vasca».

También creemos que, si se les coló aquella crítica —la «censura» vino a posteriori—, es porque la maquinaria mediática estaba engrasada y segura de que el filtrado lo hacemos los escritores al elegir los temas y el enfoque. Estrategia de supervivencia o autocensura en toda regla.

Si ETA es el enemigo, los intelectuales de la izquierda republicana son los últimos buenos rotundos. La Cultura de la Transición nos ha mantenido en un estrecho espacio en que, mientras se margina la crítica del aquí y ahora, está encantada con la adoración autista de otros tiempos. Pero no olvidemos que los padres de la Transición nos han dado «la mejor democracia posible».

En esta democracia, un hombre con tribuna pública en un periódico de gran tirada puede solicitar que «la Universidad de Granada ponga a este perturbado en su sitio». El hombre era el poeta y profesor universitario Luis García Montero; la tribuna, otra vez, *El País*, y el «perturbado» José Antonio Fortes, profesor a la sazón del mismo departamento de la misma facultad granadina. Aquel artículo apareció en la edición de Andalucía (14-10-2006) con el título «Lorca era un fascista».

Dentro del texto, García Montero se preguntaba por los «límites de la libertad de expresión» y cosas así, a la vez que (sacamos el marcador fluorescente) dejaba caer: «vocabulario marxista de cuarta fila, cercano al *delirium tremens*», «sería tratado de loco» y el ya mencionado «perturbado» con que se despacha.

José Antonio Fortes denunció a García Montero por injurias y (esto es una buena noticia en lo judicial) ganó la demanda. Pero, como escribió la periodista Elena Cabrera en ADN.es, «ante los medios quien ganó fue Montero, en un ejemplo más de que quien tiene la voz más alta, más razón tiene».

En la época, Fortes impartía las asignaturas *Sociología de la literatura española* y *La literatura española desde 1939 has-*

ta hoy: dictadura, exilio, democracia. Su análisis es, siempre desde lo público y crítico, de visión marxista y mediante este (que resumo buenamente) invita a los alumnos a pensar en las condiciones de producción simbólica en que se inserta la literatura de Federico García Lorca, entre otros. Para Fortes, el neopopulismo es el arma de la literatura de esos tiempos para, desde directrices burguesas, crear un sentido de «pueblo» afín a la clase social dominante.

Este no es el lugar para discutir las aproximaciones del profesor granadino, sí lo es para señalar el trabajo gusanil de la CT, tan cerca como en 2006. En su entrevista con Fortes para ADN (9-1-2009), dice Elena Cabrera: «La sacralización de Lorca tiene como coyuntura de inflexión los años de la falsa transición política, de 1975 a 1982 [...] hasta hoy en día, "cuando el ascenso irresistible de todo ello, en perfecta armonía con la producción de intereses y beneficios en dinero y en plusvalías ideológicas, al servicio siempre de los intereses y objetivos históricos del capitalismo y sus poderes de clase, alcanza su formalización política y de mercado, desnudamente como marca registrada: ¡Federico García Lorca, marca registrada!"». La cita dentro de la cita corresponde a Fortes.

Es decir, la literatura de Lorca, y no solo esta, sirve a una programación social y difusión ideológica cercana a lo que poco después se plasmó en fascismo.

Mientras, en la Universidad de Granada un poeta tiene problemas de digestión con estas ideas e incapacidad para discutirlas en el altavoz del aula; además posee la patente de la marca ©. Confiado en la hegemonía de la CT, o de la manipulación burguesa de intereses como quizá la llamaría Fortes, hace pública la polémica: «Lorca era un fascista», primer puñetazo. «La Universidad que venga a hacerse cargo de este perturbado», puñetazo final.

Dos apuntes más. Mientras García Montero se afilaba las uñas sobre las carnes de la «libertad de expresión», unas voces eran más leídas que otras. José Miguel Larraya, defensor del lector del diario, contestaba a las protestas: «Combatir el miedo, la irresponsabilidad y la autocensura es una forma noble de luchar contra el fascismo que no confiesa su nombre». Nunca sabremos a cuál de los dos profesores quería referirse. En otro texto del momento, un colectivo de alumnos de la Universidad de Granada reflexionaba: «Es la fuerza ideológica de la literatura, esa fuerza ideológica de la literatura que puede llegar a matar, lo que el profesor Fortes muestra y enseña».

Obedientes hasta en la cama

Dicen que el 21 de junio de 1935, André Gide se dirigió a 230 delegados de 38 países, en la jornada inaugural del I Congreso Internacional de Escritores en Defensa de la Cultura, con estas palabras: «Un miedo común nos reúne aquí [...]».

Cuesta pensar, hoy, en una reunión voluntaria de escritores para manifestar su asco, frustración o repulsa por cualquier cosa de la realidad (salvo, eso sí, frente a los actos terroristas), con cierta contundencia.

De lo que he querido hablar en estas páginas es del pensamiento capado de escritores y críticos, puesto que muchas veces uno es otro y viceversa. No exijo una guerra en cada texto, pero sí pequeñas batallas intelectuales en cada párrafo; la apertura a otros espacios, con la posibilidad del error y la esgrima de todo lo que se invisibiliza por no casar con la CT o no ser carne de mercado. No pido leer exclusivamente novela política, sino mostrar un escenario en que se ha perdido, en lo hondo del retrete, el convencimiento de que los actos literarios tienen, con o sin intención, significación política. En el contexto de las publicaciones de amplia difusión, la crítica ha abandonado la batalla que desmonta visiones del mundo.

Se me podría objetar que el periódico de gran tirada no es el lugar para hacer crítica seria. Este es un problema también de la *Weltanschauung*, porque un texto se dirige a otros textos. La consideración de la crítica literaria está tan en entredicho que las publicaciones debaten si han de contar al público la «cercanía» del crítico con la editorial o el autor de la obra. El problema va más allá. La mayoría de las personas aquí interpeladas, cualquiera que realice crítica en las cabeceras masivas o páginas especializadas, me contestarán que ellos piensan libremente, que nadie les dicta cómo han de escribir. Pero llevamos el «rabo de conejo»...

A nadie le gusta que su trabajo (a veces, los críticos cobran) sea una constante beligerancia contra todo, pero eso es. Sobre todo lo ha de ser contra el lugar común y el pensamiento débil. En nuestra crítica no se realiza un alzamiento visible de los patrones ideológicos de la producción cultural, como pueden ser los estereotipos. No se señala el olvido de ciertas zonas de nuestra historia reciente. No se analiza la creación desde, por ejemplo, la perspectiva de género, tan normalizada en otros países. No se cuestiona, se reseña.

Y escribo lo anterior a sabiendas de que es una generalización, que cuadra en el total. Algunos buenos intentos de combate cultural se han dado y dan desde espacios alternativos. Aunque el análisis excede la dimensión de este artículo, con demasiada regularidad hemos visto beligerancia desde lo *indie*, absorbida, y por tanto desactivada, cuando la voz se instalaba en las páginas de suplementos.

Para muchos y muchas de nosotras, el 15-M ha significado, a priori, una salida a la asfixia. Es demasiado pronto para decir si, además, entre sus efectos colaterales, va a tener el poder de inocular algún disolvente de lugares comunes, fosilizados, en los cerebros que tienen la obligación de pensar. Igual que estamos viendo la progresiva decadencia y trompazo en la credibilidad de los medios, estaría bien que cada vez un número mayor de personas abandonasen la lectura de suplementos como guías de lo-que-hay-que-consumir (recordemos aquí que el primer reportaje de *Babelia* se llamó, sin desperdicio, «Papanatismo cultural»). O, mejor aún, que cada vez un número mayor de ciudadanos y ciudadanas señalasen la falacia, la ficción cultural en la que están escritos esos textos.

«Tendríamos que encontrar nosotras solas el pliegue que nos sacara de la Ahistoria. Que nos devolviera al devenir, a lo informe, a la posibilidad», ha escrito Silvia Nanclares (en *El sur: instrucciones de uso*). Despacio y por nuestros propios medios, estamos aprendiendo a abandonar los tutelajes verticales. Tal como estamos haciendo en las calles, tendremos que abrir nosotras mismas el agujero en la Ahistoria y la cohesión normalizadora, y procurarnos el resquicio que libere la identidad y el pensamiento. Porque si antes nos pudo valer la «libertad sin ira», nos hemos visto reducidos a ser «obedientes hasta en la cama». Bien, pues ya no más.

Un Ministerio de Cultura en la sombra: SGAE, propiedad intelectual y CT

Por David García Aristegui

Franquismo pop

Falange Española Tradicionalista y de las JONS, para salva-guardar los intereses de los autores dramáticos nacionales y ex-tranjeros y custodiar el valiosísimo archivo musical del glorioso género lírico español, se ha incautado en el día de hoy de la So-ciedad General de Autores de España y de las demás socieda-des federadas a ella. Falange Española Tradicionalista, al ads-cribir al servicio de la nueva España a la prestigiosa institución de nuestros autores, confiará a estos la dirección de la misma mediante un Consejo de Administración que será nombrado por ellos y que actuará con carácter interino hasta que se en-cuentren en Madrid el presidente perpetuo de la Sociedad Ge-neral de Autores de España, don Eduardo Marquina, y el con-sejero-delegado don José Juan Cadenas, autoridades máximas de la organización a quienes será entregada esta para que sean ellas las que resuelvan acerca de las futuras orientaciones ajus-tadas a las nuevas normas de la España grande y vigorosa que acaba de triunfar.

ABC, 30-3-1939[1]

La Sociedad General de Autores (SGAE) entra en el fran-quismo intervenida por Falange Española Tradicionalista y de las JONS. Su antecesora directa, la Sociedad de Autores

---

1. Juan Carlos Fernández, blog *Fuera de Órbita*. Consultado el 27-10-2010. *http://juancfernandez.blogspot.com/2011/08/la-sufrida-sgae.html*

Españoles (SAE) tuvo en los años veinte serias discusiones en torno al llamado sindicalismo intelectual. Eran reflejadas en revistas de referencia como *La Propiedad Intelectual*, en una época en la que surgían en el seno del mundo artístico intentos de organización sindical. En *La Propiedad Intelectual* se debatía de manera casi despectiva sobre ese posible sindicalismo no vinculado a organizaciones obreras, mientras la SAE boicoteaba los intentos de formación de sindicatos por parte de autores dramáticos y músicales. El debate se recrudeció cuando la Sociedad de Artistas Franceses ingresó en la CGT, pero la SAE consiguió zanjar el asunto con argumentos del tipo «las asociaciones de intelectuales solo deben federarse con sus afines, [...] obligadas a mantener por propia conveniencia, en la mayor altura posible el respeto a la propiedad intelectual. Este es el único sindicalismo que pueden aceptar los intelectuales del arte».[2] Esa visión gremial y corporativista contra formas sindicales de organización perdura, por desgracia, hasta nuestros días.

Después de la Guerra Civil, se disuelven en 1941 las sociedades de autores constituidas en 1932. Queda la SGAE como entidad única, asumiendo la representación y gestión de los derechos de autor en España y en el extranjero —la inmensa mayoría de los autores y trabajadores de la SGAE no apoyaron al bando republicano, lo que puede explicar en parte la tolerancia con ella—. Con la creación de la Organización Sindical Española (OSE), más conocida como Sindicato Vertical, se impulsaron distintos sindicatos, como el Sindicato Nacional del Espectáculo (SNE). La SGAE quedó integrada dentro del complejo organigrama del Sindicalismo Vertical: el SNE disponía de secciones como la de cine, teatro, etcétera, y su Junta Nacional reservaba a dos miembros la representación de la SGAE. La Junta del SNE controlaba, además de las distintas secciones del mundo del espectáculo, a los llamados Servicios Sindicales, formados por Derechos de

---

2. Raquel Sánchez García, «La sociedad de autores españoles (1899-1932)», *Espacio, tiempo y forma*, Serie V., 15, pp. 205-228.

Autor (SGAE), Previsión y Propaganda, Inspección Nacional y la Red Provincial y Nacional del SNE.

En los cincuenta, los pinchadiscos que traían discos de las tiendas de Londres y el intercambio que se daba en las bases militares de Morón, Rota, Torrejón y Zaragoza, fueron hitos fundamentales en la introducción del rock en España. También fue relevante el papel de las islas Canarias: debido a su condición de puerto franco, los músicos locales accedían fácilmente a instrumentos musicales y discos de importación a muy buen precio, antes que en la península. Los privilegiados rockeros españoles de primera generación eran, salvo excepciones, en su mayoría hijos de familias bien posicionadas dentro del régimen. En línea con los evidentes cambios en los gustos musicales de la juventud, en 1960 el Sindicato Español Universitario (SEU) implantó concursos nacionales universitarios de «música moderna», en los que se mezclaban tunas con grupos de rock y en los que no se necesitaba carnet de músico profesional para actuar.

Subrayemos esto: con la integración de la SGAE en el Sindicato Vertical, finalizó el debate histórico sobre sociedad/entidad de gestión *versus* sindicato de autores. Los intérpretes de todo tipo tenían que afiliarse obligatoriamente al Sindicato Nacional del Espectáculo (SNE). El carnet del sindicato era indispensable para poder actuar, al igual que los autores (musicales, dramáticos, etcétera) tenían que afiliarse obligatoriamente a la SGAE para poder cobrar derechos de autor. La infraestructura del SNE controlaba todos los eventos teatrales o con música en directo, para cerciorarse de que todos los que actuaran tuvieran el preceptivo carnet del sindicato. Para conseguir ese carnet (sin él tampoco se podía acceder a la SGAE), era necesario realizar un examen, demostrar conocimientos de armonía y solfeo, escribir unas cuadras... Como se reflejaba certeramente en *Historia de la música rock* publicada en los ochenta por *El País*, la nueva generación de rockeros provocó grandes tensiones en el mundo del espectáculo, entre los sectores llamados «chupamaros», músicos profesionales que tocaban todo tipo de música, y los nuevos «silbadores», autores que no sabían leer ni escribir partituras, pero que componían grandes éxitos sin poseer formación musical clásica.

ABC reflejaba en su edición del 11-10-1970 cómo la industria del disco movía en esas fechas «más dinero que la industria de conservas», y que artistas «silbadores» muy populares de la época, como Joan Manuel Serrat, la saga de Los Brincos —Juan Pardo, Fernando Arbex—, Mari Trini, el Dúo Dinámico, Massiel, Aute o Los Módulos, habían emitido un comunicado en el que denunciaban el trato discriminatorio al que les sometía la SGAE. Si un autor era considerado «silbador» no podía registrar directamente sus obras en la SGAE. Tenía que firmarlas un socio (y con carnet del SNE) para que generaran derechos de autor. Ya en 1970 la situación era prácticamente insostenible pues los «silbadores» eran quienes generaban el 50 por ciento de los ingresos de la entidad. Aunque el caso de los actores era peor: desde el SNE se les obligaba a renunciar a los derechos de imagen como cláusula establecida en los contratos, con o sin carnet del Sindicato Vertical. En el caso de la música, incluso se posicionó a favor de los «silbadores» Juan José Rosón, presidente del SNE. Pero finalmente habría que esperar al nuevo cambio de régimen para que los «silbadores» tomaran posiciones dentro de la SGAE y acabaran con su discriminación, en 1980.

Fin de la rueda: crisis y relanzamiento de la SGAE

La paulatina infiltración del PCE en el Sindicato Vertical, en gran medida el origen de las Comisiones Obreras clandestinas, está bien documentada. Pero es importante recalcar que uno de los sindicatos donde el PCE tuvo más capacidad de incidencia fue precisamente dentro del SNE, donde se enmarcaba la actividad de la SGAE. A finales de los cincuenta, en el SNE se produjo un mayor grado de autonomía dentro de los diversos sectores, surgieron colectivos como la Agrupación Sindical de Directores y Realizadores Españoles del Cine (ASDREC), donde realizaban su labor militante para el PCE artistas como Juan Antonio Bardem.

En 1978, en una conflictiva Junta General Extraordinaria, la SGAE aprobaba sus nuevos estatutos. Estos tenían dos objetivos: por un lado, barrer de la entidad a un núcleo concreto de autores cuyas prácticas mafiosas eran conocidas como «la rueda» (la explicaremos un poco más adelante). Por otro lado, se trataba de renovar y democratizar sus estructuras. En un contexto de grandes cambios políticos y de «democratización», se posibilitaba que votara un número mayor de autores, al asignarles la posibilidad de voto aunque tuvieran menor número de ingresos. Con esos nuevos estatutos se iba a dilucidar el futuro de una entidad de gestión, ya totalmente desligada de la ineficaz burocracia del SNE, y coexistiendo con los emergentes sindicatos de clase. La entidad contaba ya con una pésima imagen pública, debido a la impopularidad del cobro de derechos de autor en fiestas, representaciones teatrales, discotecas y la publicación en prensa de la práctica de la famosa «rueda».

El escándalo de «la rueda» fue grande: en los setenta —como posteriormente—, los mayores ingresos de la sociedad venían de la recaudación de la sección musical, más cuantiosos que los que generaba la de autores dramáticos. Los ingresos de la sección musical se repartían, además de mediante el estudio de la venta de discos, en función de las llamadas hojas de declaración, donde se reflejaban las canciones que habían sonado en vivo o en bares y discotecas. El funcionamiento de la sección musical de la SGAE era, cuando menos, peculiar: los inspectores encargados de recoger las hojas de declaración eran también autores musicales asociados, por supuesto, a la SGAE. La rueda consistía en que esos inspectores-autores reflejaban en las hojas las canciones de otros inspectores-autores amigos, de manera fraudulenta y rotativa, con el objetivo de aumentar sus ingresos por derechos de autor y, por tanto, conseguir el máximo número de votos en la junta de la sección musical. Con la rueda aumentaban sus ingresos y controlaban totalmente la sección, además de realizar un gran negocio.

El fraude era clamoroso y evidente: autores totalmente desconocidos, o semidesconocidos, que no ingresaban nada por las ventas de discos, percibían en cambio millones por la reproducción de fantasmales discos en discotecas y actuaciones en directo. La junta general de la SGAE destituyó en 1977 a toda la sección musical, y convocó urgentemente unas nuevas elecciones, en las que resultaron elegidos un elevado porcentaje de nuevos autores vinculados al rock o considerados de ideologías progresistas, entre ellos Teddy Bautista —de vinculación al PCE de sobra conocida—. Como curiosidad, resaltaremos que Juan Antonio Bardem y Teddy Bautista, uno dentro y otro fuera del partido, acabarían en bandos opuestos en las elecciones a la junta directiva de la SGAE en 1995 (donde Bardem fue literalmente barrido en las urnas y sus duras denuncias sobre malversación de fondos ignoradas: su lista no sacó ni un consejero). La entrada de Bautista supuso el comienzo de grandes cambios en la entidad, ya que, en su estancia en EE.UU., había conocido de primera mano entidades de gestión como ASCAP, BMI y SESAC, cuyo funcionamiento fue emulando poco a poco en el seno de la SGAE.

Los consejeros destituidos por el fraude de la rueda contraatacaron a través de lo quedaba del Sindicato Vertical, reconvertido entonces en el Sindicato Profesional de Músicos Españoles, que acusaba al presidente de la SGAE, Moreno Torroba, de una desastrosa gestión económica de la entidad —cosa que era cierta—. En la batalla entre los dos sectores de la sección musical —el destituido y el recién electo— tomaron parte las multinaciones discográficas, que apoyaron con entusiasmo la renovación en la SGAE: les constaba que con el fin de la rueda iban a aumentar significativamente los ingresos de sus editoriales musicales al reflejarse en las hojas información veraz. El fin de la rueda legitimó a nivel internacional a la SGAE, ya que las multinacionales se decidieron a empezar a presionar a las diferentes entidades de gestión extranjeras para que comenzara el pago a la SGAE por el uso de su repertorio. Paradójicamente, el papel jugado por las multinacionales del disco en la renovación de la SGAE fue interpretada en clave nacionalista por colaboradores de varios medios de comunicación y políticos de la época, de todas las tendencias políticas, que denunciaron una supuesta represión en la SGAE de los autores españoles por estar, en teoría, al margen de los intereses de las editoriales y empresas multinacionales.

Los nuevos estatutos definieron una nueva forma de gestión de la sociedad, reestructuraron sus secciones, facilitaron la internacionalización de su actividad por parte de las multinacionales del disco y sentaron las bases de la SGAE del futuro. También se produjo el primer intento serio de lavado de imagen, al plantearse un funcionamiento algo más democrático, con el aumento del número de socios con derecho a voto, aunque en la práctica solo supusiera una exigua minoría respecto a todos los autores asociados. La SGAE entraría en los años ochenta con varios retos importantes: la mejora de su imagen, zanjar los conflictos derivados del fin de la rueda, la reestructuración de la entidad y las conflictivas recaudaciones de cine y literatura. Todo esto ya en el seno de la Cultura de la Transición (CT), de la que la SGAE, de manera voluntaria o involuntaria, se convirtió en uno de los máximos exponentes.

SGAE, propiedad intelectual y Cultura de la Transición

La SGAE fue adquiriendo una fuerza imparable y chocaba frontalmente contra todo y contra todos: mientras emitía apocalípticos anuncios sobre el inminente fin de la industria musical por culpa de la piratería —¡ya a mediados de los ochenta!—, sostenía varios e impopulares conflictos, convertidos en una verdadera avalancha de pleitos por el impago de derechos de autor. Algunos de los conflictos de la SGAE incluyeron a RTVE por atrasos millonarios en pagos de derechos, a las salas de cine por su propia rueda —estas revendían una y otra vez una misma entrada para pagar menos derechos de autor—, radios privadas, televisiones autonómicas y, posteriormente, las privadas, grupos de teatro aficionados e, incluso, al Ministerio de Cultura, por el uso de música en el Mundial 82 y luego en la Expo 92, etcétera. La SGAE llegó a acuerdos o ganó en los tribunales prácticamente todos los conflictos en los que se embarcó, sin darle demasiada importancia a transmitir de manera razonada su visión de los derechos de autor, o a intentar paliar su mala imagen. Daba igual, cada vez recaudaba más, mejor y en más ámbitos, por lo que no le preocupaba la incomprensión de su política recaudatoria. Posteriormente se avalaba tanto en el Congreso como en el Senado su polémica reestructuración de 1978, por lo que la entidad comenzó a operar en muchos aspectos como un verdadero Ministerio de Cultura *de facto*, por presupuesto, influencia y fuerza como *lobby*.

En paralelo al tremendo crecimiento de la influencia de la SGAE, se propiciaba una implantación de la CT que no fue ni mucho menos invisible: en 1984, Sánchez Ferlosio denunciaba en *El País*: «Si este [Goebbels] dijo aquello de "Cada vez que oigo la palabra cultura amartillo la pistola", los socialistas actúan como si dijeran: "En cuanto oigo la palabra cultura extiendo un cheque en blanco al portador"». Al año siguiente y en el mismo diario, Alfonso Sastre recuperaba la figura de los «silbadores» e insistía en que «[…] hoy por hoy vivimos […] bajo un reinado de grafómanos, silbadores, microfonistas y analfabetos. Situación en gran parte diseñada, seguramente, en los laboratorios de las transnacionales de la cultura o de la contracultura (que de ambas formas puede decirse). En esos laboratorios ha tenido que dibujarse el mecanismo por el que muchas gentes —y jóvenes a porrillo— creen rebelarse contra el sistema por medio de los actos con los que lo obedecen».

En los ochenta se forma el paradigma cultural democrático, del que la Movida será uno de sus buques insignia. Hay que poner en contexto y cuestionar los consensos respecto a las expresiones (contra)culturales de la época, ya que son pura CT, es decir, pura desarticulación del carácter problemático de la cultura. Todo lo conflictivo en el ámbito cultural terminó antes o después liquidado: recordemos el gran éxito e influencia a nivel estatal de una radio de orientación juvenil y militante como Radio 3, creada en la época de la UCD. Radio 3 fue paulatinamente desactivada después de 1982, cuando dejó de ser útil al PSOE: primero con la desaparición de sus onomatopéyicos y polémicos informativos, para continuar con la sucesiva caída de todos los programas con criterio y discurso propios, como el mítico *Caravana de hormigas*. El PSOE ajustó cuentas con una emisora que colaboró a su victoria electoral, pero que luego se atrevió a cosas como denunciar sin miramientos los excesos y accidentes en la mili, la guerra sucia del GAL, que tomó partido en la campaña anti-OTAN y en las primeras huelgas generales al PSOE.

La izquierda pasó de una cultura resistente de canción protesta y uso de lenguas vernáculas a propiciar un entramado alrededor del negocio de la música, del que no escapó absolutamente nada. Si nos centramos en el rock, los grupos tenían compañías independientes con el impagable escaparate y altavoz promocional de Radio 3, concursos municipales como el Villa de Madrid, un gran circuito de conciertos por los ayuntamientos con cachés mejorados y, finalmente, el cobro de derechos de autor —vía SGAE— para cuando llegaran las vacas flacas. Como decimos, nada escapó a ese circuito, ni siquiera el combativo punk en su vertiente de Rock Radikal Vasco (RRV): todos y cada uno de los discos de RIP, MCD, Kortatu, La Polla, Eskorbuto, Barricada están registrados y son del llamado «repertorio SGAE». El cierre y colofón del RRV es un tanto paradójico: unos años después de su eclosión, la Fundación Autor subvencionaba a fondo perdido a Negu Gorriak su gira por América Latina y se producía el pleito de los herederos de derechos de autor de Eskorbuto a Hilargi Records, por derechos de explotación de sus discos.

En el seno de la SGAE y el entramado de la industria musical solo hubo una disonancia, y no fue precisamente la (ahora) sonrojante polémica de Las Vulpess en *Caja de Ritmos*: Loquillo y los Trogloditas tuvieron el dudoso honor de interpretar la primera canción censurada en la democracia. Hablamos de la canción «Los ojos vendados», tema donde se denunciaba la práctica de torturas por parte de las Fuerzas y Cuerpos de Seguridad del Estado. Tiempo después, Loquillo intentó, al igual que Bardem, presentar una lista alternativa a la auspiciada por Teddy Bautista con idéntico resultado: fracaso total en las urnas de la entidad y posterior descrédito mediático. A Loquillo incluso lo acusaron de estar al servicio de las multinacionales del disco, acusaciones hechas precisamente por parte del grupo de Teddy Bautista, que sufrió esas mismas acusaciones a finales de los setenta.

Capital ficticio

> La defensa del escritor, que ocupó a Ángel María de Lera muchos años de su vida, que acaba de extinguirse, tropezó siempre con un obstáculo principal: el escritor mismo y lo que podríamos llamar su naturaleza díscola, insolidaria, individualista. Parte de los estudios y trabajos de Lera sobre este tema (impulsado, sin duda, por sus orígenes de sindicalista junto a la figura excepcional de Ángel Pestaña) van a aparecer recogidos en la ley de Propiedad Intelectual [...]. Es de esperar, no obstante, que algunos aspectos de la ley que encarecen la producción de libros clásicos o que rinden excesiva pleitesía al concepto mismo de propiedad intelectual en esta materia desaparezcan durante su tramitación [...]. El trabajo del viejo sindicalista Ángel María de Lera iba menos por la cuestión de derechos de propiedad intelectual que por el de derechos sociales [...].
>
> Editorial de *El País*, 26-7-1984

Impresionan los argumentos y la reivindicación de la por desgracia hoy olvidada figura de Ángel María de Lera, en un atípico editorial de *El País* de 1984, en el que se alaba a un sindicalista que llegó a estar condenado a muerte y pasó ocho años en cárceles franquistas. Ángel María de Lera fue uno de los fundadores de la Asociación Colegial de Escritores (ACE), colectivo que siempre mantuvo relaciones conflictivas con la SGAE. A diferencia de esta, la ACE defendió posiciones políticas de izquierda, excepcionales precisamente por chocar frontalmente con el consenso de la CT. La combatividad de la ACE se refleja, por ejemplo, en 1981, cuando se solidarizó con el periodista Xavier Vinader, acusado de inducción al asesinato al matar ETA a dos personas que salían en reportajes suyos en *Interviú* sobre la extrema derecha, o cuando apoyaba las movilizaciones por «la paz, el desarme y la libertad».

En cambio, la historia de la SGAE, como sólido pilar de la CT, oscila constantemente entre lo casposo y la alta política. Puede parecer paradójico cómo una organización acusada constantemente de clientelismo y derroche consiguió, renovando periódicamente aspectos más o menos laterales de su funcionamiento, convertirse rápidamente en un *lobby* arrollador a favor de la propiedad intelectual y, de rebote, en un imprescindible dispositivo de recuperación institucional. Nos dan muchas pistas las declaraciones de Teddy Bautista en 1989, en las antípodas de la figura del combativo Ángel María de Lera: «La SGAE no es un sindicato, sino una entidad administrativa de representación proporcional en la que los votos son como acciones».[3] La frase es mucho menos gratuita de lo que parece, ya que la SGAE, al retroalimentarse dando capacidad decisoria en sus estructuras solo a quien tenía «acciones» (ingresos por derechos de autor), determinó en gran medida una escena cultural de carácter dócil, que huía de cualquier cuestionamiento de la CT, y totalmente sometida a los designios de la industria. Una escena cultural que, salvo en situaciones desbordantes y excepcionales como el «No a la guerra», obvia cualquier tipo de conflicto.

César Rendueles planteaba en su imprescindible «Copiar, robar, mandar»[4] cómo la industria cultural ha compartido con la especulación financiera (e inmobiliaria) rasgos de lo que la tradición marxista ha llamado «capital ficticio». La legitimidad de ese capital ficticio se basa, según esa tradición, en las expectativas de ser validado por futuras actividades productivas. Al igual que el alza artificial de los precios de la vivienda se ha traducido, por la especulación, en una situación dramática por las ahora inasumibles hipotecas, la espe-

---

3. *El País*, 07-4-1989.

4. «Copiar, robar, mandar», publicado originalmente en la revista *Archipiélago*, n.º 55, marzo de 2003, *Biblioweb sinDominio*. Consultado el 27-10-2010 en *http://biblioweb.sindominio.net/telematica/rendueles.html*

culación cultural genera durante la CT enormes cantidades de dinero. Esto es gracias a que la sociedad asumió que mercados como el de la industria del disco comercializara CD al 300 por ciento de su precio real. Toda esa enorme cantidad de dinero en *royalties* y derechos de autor consolidaron un modelo en el que la SGAE pudo comportarse como un verdadero Ministerio de Cultura en la sombra. La SGAE ha fomentado un único modelo cultural y de propiedad intelectual, modelo que estalla en la actualidad al igual que la burbuja inmobiliaria. Internet y la decisión de sus usuarios de compartir masivamente contenidos hizo una parte del trabajo; la rueda particular (¿recuerdan 1978?) de Teddy Bautista y su entramado societario, y el próximo fin del pago indiscriminado del canon digital ha hecho el resto.

Parece mentira cómo al cabo de los años, una de las máximas exponentes de la CT como Alaska fuera de las primeras en hacer chirriar la maquinaria especulativa de la industria musical y de la SGAE: Olvido Gara hizo en 2003 unas declaraciones hablando de la piratería,[5] en las que denunciaba que «los precios [de los CD] se podrían bajar y todo el mundo seguiría ganando dinero» y que «como artista y autora, soy la menos perjudicada [por la piratería], ya que las ganancias de un músico por disco vendido rondan el euro por ejemplar», además de «no entender ni soportar el discurso policial de la SGAE». La inquebrantable popularidad de Alaska impidió su condena al ostracismo, pero se llegó a plantear incluso un veto a la venta de sus discos en tiendas como Madrid Rock. Una vez desactivada la cultura, el tardío conflicto de Alaska refleja cómo la industria y las entidades de gestión exigían que nadie cuestionara su modelo y sus siempre boyantes beneficios, después de haber ayudado a hacer el trabajo sucio al Estado.

Puede parecer poco emocionante o poco esclarecedora la conclusión de que fue el dinero lo que contribuyó de manera determinante a desactivar la cultura resistente y/o de izquier-

---

5. *El País,* 27-1-2003.

da, en ámbitos tan diversos como la música, el teatro, el cine, pero es que la SGAE históricamente ha manejado el equivalente a un tercio del presupuesto de los sucesivos Ministerios de Cultura. Y ha gestionado ese dinero muy bien, en favor de intereses corporativos e institucionales siempre convergentes. La SGAE asumió el papel de poli malo en la recaudación de derechos de autor, mientras mantenía adormecida y contenta a una selecta casta de autores al proporcionarles ingresos elevados y, en paralelo, se comportaba como un *lobby*. Su trabajo en la sombra fue exitoso, y consiguió el objetivo de implantar y sostener un modelo concreto de propiedad intelectual y derechos de autor, de corte especulativo y no centrado en la protección y derechos sociales para la mayoría de los autores, cosa que facilitó la cultura que precisamente le interesaba más a la CT: un cultura posfranquista —parafraseando a Kiko Amat— servil, elitista, estéril y clientelar.

Música en la CT: los sonidos del silencio

Por Víctor Lenore

El momento más histriónico de la música popular en la Cultura de la Transición ocurrió en los barrios altos de Miami. La situación es conocida: Hacienda descubre que Lola Flores no se molestó en presentar su declaración de Hacienda entre 1982 y 1985. La Faraona se limita a alegar que se había olvidado para luego pedir una peseta «a todos los españoles de bien». Como aquella estrategia no acabó de funcionar, decide refugiarse en la capital de Florida, recabando el apoyo del famoseo latino, colectivo conocido por su enorme sensibilidad hacia las víctimas de la represión fiscal. Su reacción al agravio fue montar un especial de autohomenaje en Televisión Española de imborrable recuerdo.

La ceremonia se celebra en el James L. Knight Center, popularmente conocido como el Gusanódromo. Se trata de una espectacular infraestructura con capacidad para más de 5.000 oligarcas. Presenta el inevitable José Luis Uribarri, claramente desbordado por la densa concentración de estrellas. Acudieron, entre otros, Celia Cruz, José Luis Perales, Raphael, Rocío Jurado y Julio Iglesias (estos tres últimos, batiendo los altos niveles de histrionismo y euforia a los que nos tienen acostumbrados). El show se convirtió en la mayor cumbre de evasores de capitales de habla hispana, dentro y fuera del escenario. ¿Por qué no consideramos como un acto político esta trinchera pop antikeynesiana?

El artista plástico Rogelio López Cuenca explica bien el enfoque que solemos utilizar para estas cuestiones: «Se tiende a interpretar el arte o artista político con referencia al modelo *engagé*, comprometido, pero esas etiquetas califican sobre todo al que las pone, porque está intentando quedarse él mismo fuera de la foto». Cuando se escriben artículos sobre música y política, el guión se centra en señalar con el dedo a aquellos músicos que expresan abiertamente su simpatía izquierdista. Estos reportajes suelen quedar más cerca del cotilleo o del macartismo que de la discusión razonable. Pocas veces se analiza la posición mayoritaria, donde manda la ingenuidad y la tibieza, como ha señalado el rockero Enrique Bunbury: «No me importa mucho si Nena Daconte o La Quinta Estación votan a Convergencia o a UPyD». Tampoco hay costumbre de estudiar los numerosos discursos de derechas en el pop.

El problema, por supuesto, no son los artistas. Volvamos a la frase de López Cuenca. Nos habla de «aquellos que no quieren salir en la foto». ¿A quién se refiere en este caso? Está claro que a los medios de comunicación, que desde hace décadas ejercen un implacable control de contenidos, sin que nadie examine sus criterios. Lo resume bien David Rodríguez, miembro de Beef y La Bien Querida: «Los medios son muy sectarios y hacen criba de los artistas con carga política. Salvo Extremoduro, no me viene a la cabeza ningún otro grupo politizado que tenga cancha en prensa, radio y televisión. Está el ejemplo de La Polla Records, que tenían mogollón de fans y muy escasa cobertura. Ahora que lo pienso, Extremoduro han calado más por sus canciones de amor que por su mensaje sociopolítico, ¿no?».

En realidad, la Cultura de la Transición no se define por los grandes himnos que triunfaron en esos años, sino por todos los géneros que los emporios de la comunicación han conseguido dejar fuera de juego. El bakalao se cubrió en la sección de sucesos, en vez de en la de cultura o espectáculos. Los madrileños Camela, rumba multiplatino, fueron ninguneados durante años por la prensa y la industria, seguramente porque sus discos reflejaban una España poco *fashion*, *cool* y europea. La entrañable y sustanciosa Banda Trapera del Río suele recibir trato de broma lumpen cuando en realidad son lo más cercano que hemos tenido a los Sex Pistols.

El rock radikal vasco fue menospreciado en bloque como la banda sonora de los cachorros de ETA, a pesar de una enorme base social fuera de Euskadi y de aportar unas letras de mayor alcance que los conflictos locales. Como en el caso del bakalao, el rock radikal fue el género mayoritario de la juventud en su período de vigencia, aunque nadie lo podría averiguar visitando una hemeroteca. El repudiado reggaetón, que lleva una década atronando en los extrarradios, ha merecido muchos insultos y casi ningún reportaje. ¿Puede ser accidental que se haya silenciado toda la música que refleja la experiencia vital de las clases más precarias y explotadas?

La creciente llegada de inmigrantes durante la CT fue acompañada por la segregación de sus géneros musicales favoritos, con la excepción de cuatro festivales pijos con entradas a cuarenta euros la noche. Una estampa típica de estos conciertos es ver a veinte africanos en la puerta del recinto de Los Veranos de la Villa (Madrid) bailando lo poco que les llega de Youssou N'Dour, mientras en el interior los ejecutivos de Boadilla y Pozuelo (suburbios adinerados) recuerdan entre gin-tonics sus viajes a Senegal. El colmo de esta lógica excluyente fue el programa de La 2 *Hijos de Babel*, estrenado en 2008, una especie de *Operación Triunfo* para inmigrantes, donde nuestra cadena cultural ponía a rumanos, brasileños y marroquíes a interpretar canciones de Sabina o los Beatles añadiendo un «toque exótico», según el país de origen del intérprete.

El proyecto surge en la multinacional Sony-BMG para crear un supergrupo multiétnico que pudieran vender en el circuito público de conciertos. En conversación privada, el ejecutivo que manejaba el tinglado lo admitía sin tapujos: «Si yo ofrezco a los ayuntamientos una banda con emigrantes de tres continentes nadie la va a rechazar para las fiestas patronales. Es algo multicultural y les va a dar reparo quedar como racistas». Por suerte, ni el programa ni la orquesta llegaron a cuajar, no sabemos si por lo cutre del concepto o por el eterno desinterés que despierta por aquí todo lo que no sea español o anglosajón. En España casi siempre se ha tratado la música del Tercer Mundo con espíritu onegero, turista y/o directamente colonial.

Otro campo interesante es el flamenco, donde la domesticación llegó de manera más natural. El auge de la sociedad de consumo, la fragilización de los lazos sociales y el impulso «moderno» (nótense las comillas) fueron vaciando el arte de su sentido original y de gran parte de su sustancia. El crítico Alfredo Grimaldos es quien mejor describe el proceso: «Antes en Andalucía se vivía en casas bajas y en Madrid en patios de comunidad. Ahora cada cual tiene su piso con nevera y televisor. Los gitanos jóvenes ya no quieren ser Antonio Mairena, sino Michael Jackson. Aspiran a convertirse en estrellas del rock, millonarios de veinte años. El flamenco en realidad es una carrera larga para un público minoritario, porque hoy no todo el mundo tiene tiempo para apreciar una seguiriya, como no se tiene tiempo para la buena literatura. Con la globalización el arte se iguala por abajo, las canciones buscan el mínimo común denominador. Es el resultado de imposiciones comerciales para alcanzar al gran público», lamenta.

Grimaldos también hace un análisis explícitamente político: «Después de las primeras elecciones democráticas empieza a entrar el dinero público en el flamenco, aunque la mitad se quedaba en los bolsillos de los politicastros y sus amigos. Se disparan los cachés, pero eso hoy lo disfrutan pocos artistas. Lo curioso es que a medida que el número de oyentes se amplía, se desploma el número de artistas. Hoy diría que el flamenco va a morir de inanición. Hablo de hechos constatables. Nos quedan un 10 por ciento de los cantaores que había en 1980. En estas tres décadas la cosa se ha ido hundiendo. Los artistas actuales tienen menos categoría, matices y diversidad geográfica».

El pasado mes de agosto una representación de flamencos pidieron a la Junta de Andalucía un reparto más equitativo de las subvenciones, además de señalar la marginación de los artistas de mayor edad. El productor Ricardo Pachón aporta un dato brutal: el primer Congreso Internacional del Flamenco, celebrado en noviembre de 2011 en Sevilla, propuso un comité científico de ochenta y una personas, ninguna de las cuales es gitana. La certificación del género como patrimonio inmaterial de la humanidad (por decisión de la Unesco) parece haber disparado los mecanismos institucionales de control y desposesión respecto a quienes crearon y mantuvieron esta expresión artística ancestral.

La música popular nunca ha estado ni estará en el centro de las batallas sociales. Se limita a anticiparlas o a ser su reflejo. Tiene una influencia política mínima, cuando no inexistente. A pesar de este serio impedimento, la clase dirigente nunca ha perdido la esperanza de utilizar las canciones para lubricar el envío de mensajes a las masas. El pasado verano, Barón Rojo contaban en *El País* que fueron cortejados por el ministro del PSOE Javier Moscoso: «Creyó ver en el rock duro una protesta social heredera de la protesta política de los cantautores. En la campaña de 1982, el PSOE nos ofreció tocar en cuarenta actos electorales. Nos negamos y lo pagamos: cuantos más discos vendíamos, menos conciertos patrocinados por ayuntamientos nos salían», afirma José Luis Campuzano, alías Sherpa, bajista y vocalista de la formación.

Tampoco podemos olvidar la radiofórmula, el formato que más ha hecho por la estandarización de la música popular en nuestro país. La emisora de referencia es sin duda Los 40 Principales, dedicada desde los años ochenta a promocionar las canciones más asépticas, previsibles y simplonas. Anunciantes y discográficas reclaman una música ajena a los problemas sociales para llegar al máximo *target* comercial posible (sobre todo, a los tramos más solventes). El eficaz trabajo de esa cadena ha convertido en estrellas a una generación de músicos como Dani Martín, vocalista de El Canto del Loco. Su discurso sanote y sobrado ha dado perlas como esta: «No me siento representado ni por la derecha ni por la izquierda. Ideológicamente estamos un poco perdidos, hay mucha falta de carisma. El Congreso parece *Sálvame*. No se abren caminos para que la sociedad crezca y prospere. Faltan líderes. Si hubiera alguien con talento podríamos ser primera potencia mundial». Un razonamiento en sintonía con la junta directiva de la CEOE, las campañas publicitarias del Banco de Sabadell y los editoriales de *Expansión*.

Si nos ponemos a contabilizar, en el planeta pop/rock las actitudes de derecha superan ampliamente a las de izquierda, además de recibir tratos muy distintos. Soziedad Alkohólika sufrieron un implacable boicot por su tema «Explota Zerdo!», insulto genérico contra la institución policial. Sin embargo, nadie cuestionó a Hombres G por firmar una apología del terrorismo tan detallada como «Matar a Castro». Entre los más vanguardistas también hay creadores que terminan en las orillas del discurso derechista (seguramente sin desearlo). Por ejemplo, Arturo Lanz, líder del grupo de culto Esplendor Geométrico, que percibe así la España de 2010: «Ahora debes ser políticamente correcto, de lo contrario te meten en la cárcel. Tienes que seguir el patrón intelectual que te marcan, pagar a miles de oenegés, tienes que ser de izquierda, tienes que ser feminista, "tienes que", siempre "tienes que". Solo hay un perfil aceptado». ¿De verdad existe presión social para ser «feministas y de izquierda»? ¿Veremos a Alfonso Ussía ingresando en la cárcel por políticamente incorrecto? ¿En qué extraña realidad vive Lanz?

Hay una anécdota graciosa sobre la Movida. Un mítico locutor de la BBC, John Peel, opina sobre Madrid en los ochenta: «Los grupos modernos no me parecen gran cosa, pero los Chichos y los Chunguitos son la hostia». Podemos imaginar los caretos de horror de muchos modernos al descubrir que dos bandas de gitanillos habían eclipsado la agitación pop del momento. La música moderna en España, empezando en esos años, siempre ha tenido cierto afán de distinción, de hacer que el oyente se sienta por encima del resto de los mortales. Se ha impuesto más el concepto de escena o tribu que la idea de que la mejor música popular es la que explora los conflictos comunes a todos. La inmensa mayoría de los grupos españoles se forman entre los jóvenes que pueden permitirse comprar discos, instrumentos y viajes al extranjero. Es lógico que sus canciones reflejen precisamente los valores de las clases media y alta (aunque sería deseable que aprendieran a combatirlos o al menos desmontarlos). Tenemos que agradecer a la Movida que aplicase un tratamiento de shock al pop franquista, pero el movimiento no tardó en convertirse en una fiesta estirada, medio autista y tirando a egomaníaca.

Nos queda hablar del indie, un género que merece toda nuestra recta final. Una de las canciones más celebradas del 2011 pertenece al grupo Espanto, pareja de profesores que se ha convertido en la contraseña moderna de la temporada. El videoclip de «No cabe un tonto más en España» es una de las piezas más inquietantes de los últimos tiempos. A pesar del tono dulce, inspirado en Vainica Doble, sus tres minutos podrían colocarse sin problemas como himno para el canal derechista Intereconomía. Apuesto a que Espanto serían los primeros en condenar este uso, pero el elitismo y narcisismo rampante del indie actual ha degenerado en un discurso de lo más reaccionario.

El pelotón de grupos *cool* no parece capaz de incomodar a nadie. Incluso seduce al mundo corporativo: las grandes agencias de publicidad recurren a divas indie para vender los trapitos de Purificación García, la cerveza San Miguel o el SEAT Ibiza Spotify. Nadie puede negarles el derecho a aparecer en anuncios, mucho menos los periodistas musicales, que vivimos de escribir en medios empapelados de publicidad. No se trata de iniciar una caza de brujas, pero sí de hacernos un poco más autocríticos. El antiguo *underground* se ha convertido en el nuevo *mainstream*. Aquellos géneros musicales presuntamente alternativos han acabado ocupando partes centrales del sistema, sin que sus autores den muestras de cuestionar nada. El indie es el género más patrocinado en la historia de la música popular. Nada más ridículo que los aires de superioridad contracultural de la tribu urbana que mejor sintoniza con la clase dirigente.

Para entender la situación actual hay que mirar también al mundo de la moda, ese virus que contagió a las revistas musicales de los noventa para convertirlas en revistas de tendencias. A golpe de anuncio de Levi's, Rayban o Adidas, lo poco que quedaba de popular en la prensa musical fue rápidamente exterminado (la cultura juvenil siempre fue muy vulnerable al consumismo). De repente, los mayores de cuarenta años, las minorías sociales y los argumentos de izquierda empezaron a «dar pereza», dejando todo el espacio para un ejército de grupos veinteañeros y anglosajones embutidos en ropa de diseño. El público tampoco ha ofrecido especial resistencia. Un género no se define solo por sus adhesiones, sino también por sus rechazos. El personaje que más provoca en la tribu indie es Manu Chao, curiosamente la primera estrella alternativa que consideró que la vida de los migrantes y las conversaciones de locutorio eran realidades urbanas dignas de inspirar una canción.

El circuito de festivales *cool* se confirma como un sector abonado para el yupismo. Un amigo sociólogo comenta con media sonrisa lo pegadas que están las citas veraniegas a los puntos calientes de la especulación inmobiliaria. Por ejemplo, el Festival Internacional de Benicàssim, que se celebra a pocos kilómetros de Marina D'Or (con una lógica parecida, la de venderse como espacio recreativo para países pudientes de Europa). El Primavera Sound de Barcelona terminó por encontrar su sitio en el Fórum de las Culturas, malogrado escaparate *buenrrollista* del sistema. Hoy el festival se masifica un poco más cada año, a tono con un recinto que es el equivalente cultural a las grandes superficies de cualquier otra cosa. El Sónar, su pariente electrónico, destaca por encajar como un guante en los procesos de gentrificación y estrategias de ciudad-marca de Barcelona.

Más llamativo aún, el SOS de Murcia agita la bandera de la sostenibilidad, a pesar de venir apoyado por la comunidad autónoma que más destaca por sus desarrollos urbanos desatados y la obsesión por los campos de golf. El mayor festival rockero de Bilbao, ajeno a las sutilezas, está directamente patrocinado por un banco. La explosión de este tipo de «eventos musicales» parece un réplica en versión modesta de la fiebre de los museos de arte contemporáneo (durante cierta época, toda capital de provincia quiso tener el suyo). Ya sabemos que una manita de pintura moderna puede revalorizar una ciudad. Al menos, eso pasaba antes del *crash* de 2008.

Aún podemos decir algo más sobre el indie estatal. Por ejemplo, contestar a la pregunta del millón: ¿por qué se puso de moda cantar en inglés en los años noventa? Quizá fue una especie de alucinación colectiva, pero es más probable que tenga relación con el «espíritu de la época». En los años noventa, España consigue al fin meter la cabeza en los circuitos de la economía global. Nuestro primer ejército de ejecutivos bilingües acabaría conquistando Sudamérica para el Ibex 35 con los millones ganados en las privatizaciones de Repsol, Endesa o Telefónica. Una década antes, ya se había instaurado en la clase media española (bueno, media-alta) la costumbre de mandar a los niños a estudiar en Inglaterra o Estados Unidos. El resultado ha sido una mentalidad imperial, consciente o no, en la que se impone la anglofilia (grimosa anglofilia) y se ningunea la música de los países pobres (o que ellos consideran culturalmente pobres). Se trata, sencillamente, de mirar por encima del hombro a quienes no son tan ricos ni tan *cool* como tú.

CT y cine: la inclemencia intangible.
Una primera aproximación a la obra crítica
y cinematográfica de j.l.i.

Por Jordi Costa

«Sería perfectamente posible imaginar un universo paralelo, en el cual no fuera Almodóvar, sino el disidente Zulueta quien se hubiese convertido en el autor dominante del cine del posfranquismo», escribía Paul Julian Smith en su artículo «Spanish Spring», publicado en el número de julio de 2011 de la revista especializada *Sight & Sound*. Smith no pudo prever que, meses más tarde, un inesperado hallazgo cinéfilo haría no ya plausible, sino del todo real e irrefutable la existencia de un tercer universo paralelo: el de la ingente obra cinematográfica y crítica que, desde los últimos años del franquismo hasta la misma eclosión del movimiento 15-M, elaboró Juan Luis Izquierdo; sin duda, la mejor encarnación de cineasta secreto en el contexto del cine español, creador invisible cuyas sucesivas identidades conforman una cartografía de la marginalidad, entendida esta como territorio fluctuante entre el extremismo ideológico, el consumo estupefaciente asumido en calidad de legislación de una utopía subcutánea, la transexualidad multidireccional instrumentalizada en forma de manifiesto performático alrededor de la superación de la teoría de género y la práctica artística reformulada como acción directa, verdadero sucedáneo teórico de la lucha armada.

La publicación del artículo de Paul Julian Smith respondía a la programación en el British Film Institute, a lo largo del mes de junio de 2011, del ciclo «Good Morning Freedom!- Spanish Cinema After Franco», que propició el reestreno en copia nueva de *Cría cuervos* (1975), de Carlos Saura, en diversas salas de exhibición de Gran Bretaña. El crítico reconocía que «Good Morning Freedom!» era un eslogan demasiado optimista para definir las películas españolas de ese período, pero, continuaba, «como Saura parecía saber muy bien cuando hizo que Geraldine Chaplin se dirigiese a nosotros con tanta solemnidad desde el incierto mundo del futuro, con los vigorizantes vientos de la libertad, que incluían la libertad de escoger la autodestrucción». Smith habla de los modelos de Iván Zulueta y Eloy de la Iglesia como contrapuntos a «la mucho más conocida y enormemente creativa autopromoción de Almodóvar». De nuevo, haber conocido, por entonces, el legado de José Luis Izquierdo hubiese alterado la ecuación de manera radical: Izquierdo no ejercitó la libertad de escoger la autodestrucción, sino que, como ha dejado generosamente documentado, no tuvo otro remedio que abrazar la invisibilidad de construir una feroz nota al pie de todo el cine español de la Transición que, por su propia naturaleza, solo podía ser revelada como discurso póstumo, como ensordecedor portazo de salida de un mundo que había asfixiado toda posibilidad de redención a través de lo que él llamaba CT, ese concepto que lo obsesionaba. CT como Cultura de la Transición o, como escribió, «transubstanciación de la Guerra Civil como hilo musical de un resort bipartidista».

«¿Alcanzas a hacerte una idea de qué significa una infinidad de universos?», preguntaba un personaje de la novela *Universo de locos*, de Fredric Brown. Y continuaba: «Significa que esos universos infinitos abarcan cualquier cosa imaginable. Por ejemplo, hay un universo en el que se está desarrollando esta misma escena, con la única diferencia de que tú, o tu equivalente, lleva zapatos marrones en lugar de negros. Y hay un número infinito de permutaciones de esa variación. En una tendrás un arañazo superficial en el índice de la mano izquierda, en otra tendrás cuernos morados…». No cabe duda de que la Teoría de los Universos Paralelos estaba en la base de la obra cinematográfica y crítica de José Luis Izquierdo —a partir de ahora, j.l.i., su *nom de guerre*—, que siempre se planteó como pulso con una realidad decepcionante y como ventana abierta a la concienzuda alteración utópica.

Todos sabemos cómo es ese universo (de los muchos posibles) en que Almodóvar se convirtió en modelo dominante: modelo a emular/traicionar o modelo a negar. De hecho, vivimos en él: habitamos lo que quizá no es más que una de las muchas posibilidades en la volcánica imaginación de ese Hawthorne Abendsen que fue j.l.i., que vivió como si todo hubiera sido (o hubiese podido ser) de otra manera. Un universo poblado de mujeres vitalistas, dicharacheras, sufridoras, supervivientes, solidarias, a veces fatales, a veces hechas-a-sí-mismas (es decir, transexuales), pero siempre capaces de meterse el corazón del español medio en el bolsillo, ya sea al arrancarse por bulerías, sobreactuar un bolero en playback o, sobre todo, al soltar por la boca una filigrana coloquial que relativiza la tragedia y enraíza a esa voz en el único sustrato común de todos los españoles: un costumbrismo populista. Universo poblado, también, de maridos adúlteros, maltratadores, brutales o meramente desafectos (los arquetipos masculinos del Almodóvar más aplaudido) o de hombres elevados a sujeto trágico por la ley del deseo, la locura de amor o el corazón de las tinieblas que se esconde detrás de cada entrepierna (los arquetipos del Almodóvar vilipendiado por el pelotón de linchamiento que suele ser España ante toda manifestación problemática de la diferencia). En los cuadernos de j.l.i. queda amplia constancia de su obsesión por el cineasta manchego, en quien vio al mismo tiempo la encarnación de una traición máxima —«Pepi, Lucy, Bom y yo estamos llorando desconsoladas: *La flor de mi secreto* (1995), ese *Lo que el viento se llevó* (1939) de la CT, es lo último que hubiésemos esperado de ti»— y al anhelado, aunque imposible compañero de viaje, el perfecto interlocutor que hubiese podido ayudarlo a llevar a buen puerto su proyecto más radical —«tan solo si hubieses estado ahí, o yo hubiese sido tú, el tú en estado de gracia de *Hable con ella* (2002)… en esos momentos».

En cierto sentido, el universo paralelo levantado sobre la hegemonía moral y estética de Iván Zulueta nunca tuvo lugar, pero aparece no ya esbozado, sino contenido en todo su

potencial en el documental *Iván Z.* (2004), de Andrés Duque:
la visita a un Neverland de metadona, el castillo de un niño
póstumo, un recorrido que, en su desnudez expresiva, invita a
recrear el esplendor de esa Arcadia que, en su día fue, realmente, la isla de Nunca Jamás, una geografía imaginaria pero
tangible de polaroids, neones, nieve en la pantalla del televisor —quizá puertas interdimensionales pre*Poltergeist* (1982)
o intercambiadores del espacio tiempo—, vampíricas cámaras de súper 8, fotogramas como limbos a medida para almas
vaciadas o fantasmagorías, bocetos de personajes Disney
—las líneas crudas, violentas, como corrientes del torbellino
que arrastraría a Dorothy y a todas las dorothies que siempre
han querido estar en otro lugar para acabar descubriendo
que su única patria está bajo la piel: ¡como en mi mullido ego
en ningún sitio!—, ataques terroristas al festival de Eurovi-
sión, encrucijadas donde el camino de baldosas amarillas se
encuentra con la *Carretera perdida* (1997), de David Lynch,
agujas entrando en vena o en surcos de vinilo para convocar
el estado de suspensión de una vieja comedia musical cíclica,
perpetuamente joven. El Universo Zulueta como, en definitiva, barricada levantada contra el mundo o lo Real: una exploración del Espacio Interior para una aristocracia ácrata de
un solo miembro, una insularidad mutada en espejo universal
para una inmadurez resistente. Witold Gombrowicz + Michael Jackson + Pee Wee Herman, pero no exactamente eso.

Resulta mucho más difícil describir ese Universo Paralelo invisible que, de hecho, ha estado entre nosotros como ese
templo inmaterial que aparecía en *La sombra* (1994), de Rus-
sell Mulcahy: la posibilidad (que no fue tal, sino realidad) j.l.i.
El cineasta había empezado a crear y refutar a sus coetáneos
mucho antes de encontrar la imagen perfecta para fundar su
poética: «Un cine español que no se levantara sobre el igno-
minioso cráneo heroico del Alfredo Mayo de *Raza* (1942), de
José Luis Sáenz de Heredia, sino sobre la sangre del cuello
seccionado de ese Alfredo Mayo en tanga, atado a una cruz
de San Andrés, sacrificado en la escena de la orgía de *Poppers* (1984), de José María Castellví». También llegaría relativamente tarde la película, que, en su casi inabarcable corpus

de cuadernos de notas a mano, j.l.i. identificó como «mi única ópera prima posible, aunque me pilla con toda una filmografía a mis espaldas»: *¡Hasta luego, Lukács!* (1999), frágil pieza de cámara rodada en blanco y negro, con una formulación estética que se diría cruel parodia de los estilemas de la Escuela de Barcelona, en la que el cómico Chiquito de la Calzada transformaba los textos del pensador Georg Lukács en una cacofonía verbal constantemente bombardeada por las celebradas consignas cómicas y neologismos extraterrestres del intérprete —«¡No puidorrrrrr!, jarrrl, una guarrerida española, diodeno vaginarl, ¿cómorrrr?, ¡te borro el sero!, ¡fistro pecadorrrr!, ¡ese caballo que viene de Bonansa!»—, mientras ejecutaba una deslumbrante coreografía de movimientos espásticos. El negativo de *¡Hasta luego, Lukács!*, como todo el resto de la obra literaria y cinematográfica de j.l.i., fue localizado en noviembre de 2011, después de que fuese descifrado el código que el enigmático autor había camuflado en diversas grabaciones de autoría colectiva o directamente difusa que habían registrado aspectos siempre parciales del tentacular movimiento 15-M. Es, pues, demasiado pronto para proponer una lectura crítica de *¡Hasta luego, Lukács!*, pero no para aclarar algunos intrigantes aspectos de su génesis, estrechamente ligada a una escena concreta de *Papá Piquillo* (1998), de Álvaro Sáenz de Heredia, última película oficial protagonizada por Chiquito de la Calzada y estrenada un año antes de que j.l.i. rodase su película secreta. En esa escena, Chiquito de la Calzada, en la piel del papá Piquillo del título —abuelo a cargo de un puñado de nietos huérfanos en un barrio chabolista de los aledaños de Madrid—, arropa en la cama a uno de sus cachorrillos —un niño con una enfermedad incurable— y rompe a llorar. El niño le pregunta por qué llora y Papá Piquillo ejecuta un radical quiebro en su inercia emotiva: le dice que, en realidad, está llorando de risa porque, de repente, se ha acordado de un cómico que salía en televisión y, con la voz rota y el gesto aún lloroso, reproduce algunas de las señas de identidad verbales… ¡de Chiquito de la Calzada! En sus cuadernos, j.l.i. dedica casi un centenar de páginas a la disección de esa única escena, en la que detectó una de esas figuras de estilo que le fascinaban —un metalenguaje primitivo, una autoconsciencia preconsciente— y que, a su entender, contenía además, en este caso, la redención de toda una carrera: la de Álvaro Sáenz de Heredia, precisamente sobrino de José Luis Sáenz de Heredia, director de *Raza* y uno de los cineastas que, de manera más contradictoria y estimulante, galvanizaron el imaginario de j.l.i. Tal y como dejaría escrito en sus notas alrededor del proyecto: «Mi película, *¡Hasta luego, Lukács!*, materializará la promesa incumplida que dejaste en ese título brillante —*La hoz y el Martínez* (1985)—, que de brillante solo tenía el título para acabar dando forma a esa filmografía incongruente, a ese afán de perpetuar la esencia del sudor atrapado en un calcetín franquista y la tristeza concentrada en un cenicero repleto de colillas de Ducados en forma de sopaboba de multisalas, calentada bajo los focos, siempre obscenos, de un rodaje de spot publicitario. Pero esa escena de *Papá Piquillo...* con esa escena, de verdad, Álvaro, todo está (o por lo menos podría estar) perdonado».

Poco antes de morir, j.l.i. dejó escrita en su último cuaderno una extraña carta de amor al actor Rodrigo Sáenz de Heredia, nieto de José Luis Sáenz de Heredia, que le fascinó en su papel de Óscar, vigilante de seguridad en una salina terminal del cabo de Gata en *La mitad de Óscar* (2010) de Manuel Martín Cuenca. Como era habitual en su metodología crítica, j.l.i. aislaba la esencia de la película en una sola escena: la conversación de Óscar con un taxista, interpretado por Antonio de la Torre, actor que se veía obligado a utilizar como únicos recursos interpretativos la voz y la parte de su rostro que se reflejaba en el retrovisor del interior del vehículo. En casi todo el resto del metraje, el propio protagonista (Sáenz de Heredia) jugaba incluso con menos elementos: le bastaba con encarnar un agujero negro, un temblor, una oscuridad a punto de estallar y, con ello, abolir todo lo que estaba a su alrededor. En el diálogo entre Óscar y el taxista, j.l.i. veía, precisamente, el pulso simbólico entre una negrura con los dientes muy afilados y ese tono que tanta repugnancia le causó siempre, ese costumbrismo que todo lo iguala

—por abajo—, esa condición falsamente entrañable del español medio que logra limar toda diferencia ideológica porque, en el fondo, *toermundoégüeno* y, si el maldito fútbol se empeña en mantener vivo el pulso de una Guerra Civil por otros medios, allí estarán siempre las mujeres, el vino peleón y el chiste español para llegar a un acuerdo, aunque sea provisional. En el rostro de Rodrigo Sáenz de Heredia, j.l.i., que, en el momento de escribir su carta de amor había pasado por sucesivas operaciones de reasignación de género en direcciones opuestas hasta abrazar una ambigua identidad postsexual meses antes de su muerte, veía la transubstanciación final de la dinastía más problemática en la historia del cine español. El tema de fondo de *La mitad de Óscar* le había llevado a obsesionarse con lo que él consideraba la perversión sexual capaz de resolver las contradicciones de un proceso que se había abierto con la génesis de *Raza*: un acto sexual con el actor, un rito entendido como una suerte de incesto simbólico y comunión ero-tanática sublimada en el sacrificio mutuo de los amantes. Las derivas del pensamiento de j.l.i. en los últimos años de su existencia no permiten comprender con claridad por qué el cineasta consideraba incestuosa una hipotética relación sexual con el actor Rodrigo Sáenz de Heredia, pero algunas líneas de investigación sobre su trayectoria biográfica plantean que, o bien j.l.i. podría ser miembro de una línea de descendencia bastarda del patriarca José Luis Sáenz de Heredia, o bien podría haber alimentado un delirio que nutriera esa convicción.

En todo caso, a j.l.i. nunca dejó de fascinarle el caso de *Raza*, película que consideraba el germen, el origen del problema que acabaría dando carta de naturaleza al cine de la CT y, al mismo tiempo, uno de los más fascinantes casos de la psicopatología cinéfila asociada al imaginario de las dictaduras. Si se hubiese estrenado en su día *Instinto* (1994), su respuesta a *Raza* y, al mismo tiempo, su intento de desarticular lo que él consideraba la gran farsa de *Madregilda* (1993), de Francisco Regueiro, y de ampliar por la vía de la imaginación delirante la tesis de *Raza, el espíritu de Franco* (1977), de Gonzalo Herralde, no es muy arriesgado pronosticar que se hubiese convertido en un merecido éxito de taquilla. Un éxito que, si j.l.i. no se hubiese empeñado en condenar toda su producción a un aplazado destino como exhumación, quizá hubiese cumplido con el gesto revolucionario de inocular una idea desestabilizadora en el gran público a través de las formas amables del cine espectáculo. En *Instinto*, j.l.i. mezclaba la historia de la realización de *Raza* —es decir, el relato del dictador desdoblado en guionista, Jaime de Andrade, para construir una ficción heroica de sí mismo, con resonancias de trauma personal— con la rocambolesca historia de *Pulgasari* (1985), la película con monstruo gigante diseñada para crear una mitología posnuclear a la medida de los delirios colectivos de una Corea del Norte dispuesta a postularse como único reducto del Mal, en los nuevos mapamundis del mercado globalizado. Como bien es sabido, Kim Jong-Il, a instancias de su padre Kim Il-sung, secuestró en 1978 al cineasta de Corea del Sur Shin Sang-ok, que, ocho años después, se encargaría, con la ayuda de un equipo de técnicos de efectos especiales del estudio japonés Toho y debidamente obligado por el poder, de la dirección de *Pulgasari*, en la que un muñeco hecho de arroz crecía hasta convertirse en la temible criatura del título, un dragón devorador de acero que la crítica occidental todavía debate si encarna una metáfora de la voracidad capitalista o una suerte de proyección ególatra de la propia dictadura norcoreana. En *Instinto*, j.l.i. imaginó una historia alternativa de España en la que las leyendas de *Raza* y *Pulgasari* se daban la mano para reformular uno de los mitos universales del cine popular del tardo-franquismo: Waldemar Daninsky, el hombre lobo apátrida creado y encarnado por Paul Naschy, alias del actor y ex campeón de halterofilia Jacinto Molina. La película de j.l.i., que, en una curiosa simetría, se rodó, montó y ocultó hasta su descubrimiento póstumo el mismo año en que veía la luz *Ed Wood* (1994), de Tim Burton, imaginaba a un dictador español que desviaba su insaciable lujuria de carne humana a través de una ficción terapéutica: una serie de guiones para unas películas protagonizadas por un hombre lobo trágico —como todos los hombres lobo, por otra parte—, destinadas al entonces floreciente cir-

cuito de cines de barrio de programa doble. Rodada con actores no profesionales y con una vehemencia expresiva un
tanto filo-tarantiana —*Pulp Fiction* (1994) también sería estrenada el mismo año en que se terminó (y desapareció) *Instinto*—, la película encontraba su enigma fascinante en la figura del actor/director que daría vida al licántropo: una
contrafigura del propio Jacinto Molina en la que j.l.i. quiso
fundir la dimensión trágica de Ivan Sanchin, el proyeccionis-
ta de Stalin cuya historia hizo ficción *El círculo del poder*
(1991), de Andrey Konchalovskiy, y el patetismo del Howard
Prince que encarnó Woody Allen en *La tapadera* (1976), de
Martin Ritt. En cierto sentido, *Instinto* también era una pesadilla kafkiana —o dickiana— en la que Francisco Franco (o
el dictador innominado que en la ficción cumplía la función
de) era, a la vez, el Poder tiránico y su Resistencia subterránea, una modulación melancólicamente española del complejo de Jekyll/Hyde. En la película, j.l.i. incorporaba elementos de un relato que había dejado escrito, muchos años
atrás, en uno de sus cuadernos: «El portador de la bestia», en
el que j.l.i. fantaseaba alrededor de la figura del proyeccio-
nista judío que le había facilitado al Führer su copia privada
en 35 mm de *King Kong* (1933), de Ernest B. Schoedsack y
Merian C. Cooper. Como la mayor parte de los trabajos de
j.l.i., *Instinto* requiere más horas de análisis de las que ha concedido el estrecho margen entre su hallazgo y la redacción de
este ensayo, pero conviene adelantar que las implicaciones
de su contenido resultan muy estimulantes como discurso
marginal enfrentado a un cine de la Transición levantado sobre ideas recibidas, lugares comunes y arquetipos de una pieza. Con esta película, j.l.i. vino a decir que Francisco Franco
fue, probablemente, quien más hizo por desarticular su propia dictadura: a la vez, policía y forajido, en *Instinto* el reflejo
especular del dictador lanza, en forma de inocuas películas de
terror, las pistas del gran crimen por el que siente la patológica necesidad de ser juzgado.

Sea o no cierto el vínculo de sangre entre j.l.i. y José Luis
Sáenz de Heredia, director de *Raza*, lo cierto es que el creador de *¡Hasta luego, Lukács!* fue la única voz adscrita a la ex-

trema izquierda que no dudó en exteriorizar su admiración por la figura del cineasta oficial del régimen: siempre consideró que *Raza* era un inmejorable testimonio psicoanalítico que la resistencia al Estado dictatorial tendría que haber sabido instrumentalizar y que la comedia negra *El grano de mostaza* (1962) era una de las grandes joyas a descubrir del cine español.

Como se ha apuntado más arriba, la obra escrita de j.l.i. se revela tanto o más importante como su obra cinematográfica: un discurso atropellado, de sintaxis en ocasiones irrespirable y cadencia paranoica que se empeñaba en impugnar el grueso del cine español surgido tras el franquismo. Algunos de los excesos de ese discurso se destilaron en su *Diccionario Inclemente del Cine Español*, que será publicado por Filmoteca Española a finales de 2012. En las páginas del diccionario, j.l.i. condensaba su ferocidad en sintéticas definiciones que, casi siempre, escondían cargas de profundidad: «Álex de la Iglesia: Prometedor director vasco que acabó involucionando como quintaesencia del director español»; «Carlos Saura: Hacedor de virtuosos y hasta bellos criptogramas-zapadores del tardofranquismo devenido empresa de servicios muy solicitada por el sector de Ferias y Congresos»; «Fernando León de Aranoa: La longitud de su nombre desautoriza la sinceridad de su discurso. La moto de agua como único elemento familiar en su exploración del *Barrio* (1998). Cada frase dicha por la empleada doméstica latinoamericana o por la prostituta otoñal de *Amador* (2010) como los últimos clavos sobre la tapa del ataúd de la lucha de clases. Un aplicado director de telecomedias de la miseria para el limpiado de conciencias CT forjadas en colegio privado»; «Alejandro Amenábar: el sueño húmedo de la CT hecho realidad. Un cineasta apolítico, inodoro e insípido, pero tremendamente exportable. Un modelo a seguir para coetáneos y sucesores: la precisión técnica como perpetuo salvapantallas para camuflar la evidencia de un conjunto vacío, una pantalla plana en el sentido más espiritual de la expresión»; «Juan Antonio Bardem: del gesto revolucionario de darle un Mundo Obrero al landismo al gesto (más) revolucionario de darle un papel protagonista a Mar Flores [...]».

Fue precisamente *El puente* (1977), de Juan Antonio Bardem, el objeto de uno de los ensayos más incendiarios de j.l.i., que creía detectar en la ingenuidad de ese trabajo las raíces del fracaso de la consolidación de un cine genuinamente de izquierdas en los años de la Transición: fascinado por la laberíntica mirada a la lucha de clases como ecuación irresoluble que proponía, seis años antes, *La clase obrera va al Paraíso* (1971) de Elio Petri, j.l.i. diagnosticó ahí un caso de impotencia pragmática que la posterior evolución ideológica del cine español iba a corroborar: «Lo más descorazonador de esta oportunidad perdida es que la Gran Revelación estaba ahí: la idea de que la verdadera Revolución solo podía alzarse sobre la cabeza de Alfredo Landa». Su posterior ensayo manuscrito sobre *Las verdes praderas* (1979), de José Luis Garci, fue maníacamente tachado con un bolígrafo Bic cristal de punta azul cuando j.l.i. vio, diez años después, *El séptimo continente* (1989), de Michael Haneke. Al final del ya indescifrable texto, el autor añadió: «Está claro que, en este país cicatero y cobarde, a nadie se le iba a ocurrir que la única solución posible consistía en que Conchi (María Casanova), esa mantis pequeñoburguesa, quemase el chalet con ella misma, José Rebolledo (Alfredo Landa) y los niños ¡¡¡dentro!!!». No siempre el cine español espoleaba en los textos de j.l.i. reacciones tan airadas. El oscuro cineasta llegó a establecer una suerte de canon disfuncional, integrado por las películas *El sexto sentido* (1929), de Nemesio M. Sobrevila, *Vida en sombras* (1948), de Lorenzo Llobet Gracia, *Tenemos 18 años*, de Jesús Franco, *El grano de mostaza* (1962), de José Luis Sáenz de Heredia, *Diferente* (1962), de Luis María Delgado, *El extraño viaje* (1964), de Fernando Fernán Gómez, *La boutique* (1967), de Luis García Berlanga, *Odio mi cuerpo* (1974), de León Klimovsky, *El hombre perseguido por un ovni* (1976), de Juan Carlos Olaria, *La criatura* (1977), de Eloy de la Iglesia, *Arrebato* (1980), de Iván Zulueta, *Cada ver es...* (1981), de Ángel García del Val, *Un día en el triángulo* (1984), de Fernando de Bran, *Poppers* (1984), de José María Castellví, *Fotos* (1996), de Elio Quiroga, *Mamá es boba* (1997), de Santiago Lorenzo, y *Cuando el mundo se acabe te seguiré amando* (1998), de Pilar Sueiro. También encontró, en una escena de *Veinte años no es nada* (2004) —el documental donde Joaquín Jordà retomaba los destinos de los huelguistas cuya lucha había recogido en *Numax presenta...* (1980)—, la perfecta y más elocuente punta de iceberg para entender el autoengaño como elemento cohesionador de la CT. El momento pertenece al tramo de la película que rememora el atraco de Juan Manzanares, antiguo empleado de la fábrica de electrodomésticos Numax, a la sucursal de Valls del Banc de Sabadell. Un atraco que salió mal y que derivó en atrincheramiento con rehenes. Juan Manzanares reclama la presencia del ministro del Interior —a la sazón, José Barrionuevo—, pero este decide delegar en el gobernador civil de Tarragona, Vicente Valero. Una vez en el interior de la sucursal, Valero se encuentra con Juan Manzanares. En la entrevista que le realiza Jordà en *Veinte años no es nada*, Valero rememora el momento: «Durante una hora aproximadamente…, no recuerdo bien el tiempo porque en esos momentos pierdes un poco la noción del tiempo…, empezó a lanzar unas soflamas y una arenga de contenido yo diría que supuestamente ideológico, político, para justificar lo que estaba haciendo. Yo traté de convencerlo de que estaba equivocado, de que yo, además, era un gobernador socialista, de que yo no tenía ninguna vinculación con el Capital, que estábamos emprendiendo la gran aventura y hermosa aventura de consolidar el Estado del bienestar en España, modernizando las estructuras y, a fin de cuentas, consiguiendo que la gente viviese mejor, pero él pues no hacía ningún caso de aquel intercambio de argumentos que nos hacíamos».

Cuando planeó el complejo dispositivo criptográfico, atomizado en esas grabaciones de diversos operadores espontáneos dispuestos a documentar la emergencia y expansión del movimiento 15-M, que iba a permitir el hallazgo de su corpus creativo, j.l.i. estaba convencido de no haber legado a la posteridad ninguna obra maestra. Creía, en definitiva, haber fracasado en su propósito de barrenar la memoria del cine español con sus películas, que él siempre quiso que fueran bombas conceptuales, capaces de estallar en el recuerdo del espectador y propiciar un salto colectivo de las conciencias. El gesto de camuflar los códigos de un fragmentario mapa del tesoro en esas grabaciones venía a sugerir, en el fondo, una inquebrantable fe en la utopía: ese cine 15-M, que ya era poscine y que jamás podría llegar a ser discurso unitario, daba una última oportunidad a la esperanza de que acabase naciendo, en nuestro país, un cine verdaderamente político a salvo de autoengaños, una superación de todos los espejismos CT que el medio cinematográfico, siempre sometido al mercado, había contribuido a fortalecer más que ningún otro lenguaje. Probablemente sea impreciso considerar ese mensaje cifrado sobre la ubicación de su legado un mapa del tesoro: j.l.i. no parecía considerarlo como tal y quizá su propósito no fuera más que el de que alguien levantase acta de lo que había sido invisible existencia y labor subterránea. No obstante, está claro que entre los valiosos documentos contenidos en sus abigarrados cuadernos de notas y entre las extrañas, a veces incompletas o simplemente esbozadas películas que dejó tras de sí, se encontraba una pieza sobresaliente que permitía entender la paradoja irresoluble de una sociedad condenada a transformar en formas antiépicas la violencia que la fundó.

Esa obra excepcional no fue su esquinada versión de *Galopa y corta el viento* (2003), la película que Eloy de la Iglesia jamás pudo hacer: el melodrama de amor *fou* sobre la pasión homosexual entre un guardia civil y un etarra, que culminaba en virtuoso travelling circular, deslumbrante *amplificatio* del que cerraba *Fascinación* (1976), de Brian De Palma, con los cuerpos desnudos de los amantes abrazados en incendiado coito, mientras las balas de una horda CT hería su carne provocando un hermoso surtidor de sangre benemérita y gudari; un trabajo que, como reconocía j.l.i. en su propio mensaje desesperado —y nunca remitido— a Pedro Almodóvar, solo podía haber funcionado si la catarsis hubiese tenido la fuerza capaz de unir en llanto a la nación entera. No, sin duda, la pieza maestra de esa filmografía hoy por fin revelada fue una modesta película a la que él nunca pareció concederle dema-

siada importancia: *Los juguetes rabiosos* (1984), un trabajo
con espíritu de demoledora novela de iniciación y desconcer-
tante forma de película casera, rodada en súper 8 a lo largo
de lo que, según sugieren los sucesivos cambios de actores
(siempre no profesionales) en un mismo papel, podría ser un
período de diez años. Solo se conserva la banda de sonido de
la primera escena, ambientada en un barrio de una ciudad española indeterminada a mediados de los años setenta. En
ella, un niño que ha entrado en una juguetería junto a su madre para adquirir un set de Weebles —serie de figuras de forma ovoide creados por Hasbro Playskool en 1971 y distri-
buidos en España por la empresa valenciana Brekar años
después— es humillado verbalmente por el tendero, que, según afirma, se niega a venderle un producto diseñado «para
niños tontos». La crueldad del discurso parece revelar un grado de confianza impropio del que un comerciante debería
mantener con sus clientes. El niño y la madre salen de la tienda tras haber comprado, a instancias del vehemente jugue-te-
ro, un muñeco Geyperman modelo Soldado Australiano. Un
comentario despectivo de la madre en el trayecto a casa confirma que, en efecto, el tendero es algo parecido a un amigo
de la familia, alguien cuyas excentricidades no queda más
remedio que tolerar. Ya en casa, el niño desempaqueta el juguete y se entretiene acariciando la frondosa barba del muñeco articulado. La ausencia de una banda de sonido convierte el sentido del resto del metraje en pura conjetura: el
plano detalle de los dedos del niño encadena con los dedos
de un adulto colocando un mástil en un modelo a escala del
HMS *Beagle* en el que Charles Darwin emprendió su célebre
viaje. Se abre el plano: las manos pertenecen a un hombre de
unos cuarenta años, vestido con mono azul, que charla ani-
madamente con un individuo trajeado de unos sesenta años
de edad. El posterior desarrollo de la película permite entender que el presunto montador de barcos en miniatura es el
padre del niño de la primera escena. El plano vuelve a cerrarse con un detalle de sus manos, que sujetan un fino pincel
con el que traza una fina línea azul en el mástil. La imagen
encadena con unas manos femeninas que parecen estar ma-

nipulando un artefacto explosivo. Cuando se abre el plano descubrimos que esas manos están pegando con cinta adhesiva el supuesto artefacto explosivo sobre el pecho del individuo sesentón de la escena anterior, que ahora está tendido sobre una cama, con el batín de seda abierto mientras un tipo le sujeta los brazos y lo mantiene inmovilizado. Los ojos de la víctima se abren en una muda pero ensordecedora súplica. La pareja de terroristas desgrana sus exigencias poco antes de abandonar la habitación. Un telediario en un monitor de televisión en blanco y negro parece estar dando la noticia de la muerte de un industrial, que es, en efecto, el coleccionista de modelos náuticos a escala de la segunda escena, uno de los mejores clientes del padre del niño del Geyperman. La noticia causa un comprensible revuelo en el hogar del niño, que contempla la escena en silencio, con su figura articulada colgando de su mano como una extremidad atrofiada. Hasta avanzado el metraje es imposible entender la violencia subyacente en ese momento: la noticia de esa muerte espoleando una inquietante agresividad entre el padre y la madre. Tras diversas escenas en las que la asimilación de la tragedia se convierte en un tema de fondo mientras pasan los días y el niño aprende a mutilar a su Geyperman con indolencia, el misterio se va desvelando: la mejor amiga de la madre es la esposa del juguetero. La hermana de la mejor amiga de la madre es la terrorista que ha colocado el explosivo sobre el pecho del mejor cliente del padre. A partir de ahí, *Los juguetes rabiosos* alcanza su plenitud como artefacto inquietante. Las expectativas del espectador ya han trazado unas líneas de continuidad que no se cumplirán: uno espera ver la desintegración de la familia, mientras se extiende la infección de ese hecho de sangre cometido en el punto equidistante entre los dos pilares del orden doméstico, y, también, la progresiva perversión del niño, iniciándose, con su muñeco mutilado, en su particular lectura de los juegos de guerra. Pero no, *Los juguetes rabiosos* cuenta otra cosa: cómo se acaba imponiendo el silencio, cómo la familia, pese a todo, sigue funcionando, sobrevive al crecimiento de esa flor oscura en el mismísimo comedor de su casa... Hay una larga elipsis. El niño ya es adolescente y limpia de trastos su habitación. Mete en una bolsa de basura lo que queda del Geyperman y baja al contenedor. Se encuentra a un mendigo revolviendo la basura. Se miran. El chico reconoce al mendigo. La mirada perdida del vendedor de juguetes ya no reconoce a nadie.

Lo último que escribió j.l.i. en su último cuaderno fue «¡Maldito sea el gachó que inventó el celuloide!». Es lo que aparece en uno de los intertítulos de *El misterio de la Puerta del Sol* (1929), de Francisco Elías, la primera película parcialmente sonora del cine español.

La CT como marco:
un caso de éxito no CT: el 15-M.
O de cómo puede suceder un éxito no previsto en una cultura, como la CT, que controla los accesos al éxito y al fracaso

Por Guillermo Zapata

¡Se ha reunido un comité de expertos
y han decidido que se acabó lo nuestro
y a mí me habría gustado
haber participado en el proceso!

Los Planetas, *Reunión en la Cumbre*

¡Vivir juntos, morir solos!

Perdidos, capítulo 23, 2.ª temporada

Dos apuntes sobre la crisis de otra cultura, la de masas

Empiezo por un lugar extraño y contradictorio, un lugar no CT, el lugar que ha sustituido al modelo cultural de la CT (digamos, un modelo cultural de hacerse uno con el poder y darle a todo una importancia tre-men-da) en otros lugares del mundo: la cultura de masas (digamos, un modelo cultural en el que se hace uno con el mercado y no le da a nada ninguna importancia). Vamos, el momento en el que Belén Esteban le gana la partida de la cohesión social a Gregorio Peces-Barba.

La Cultura de la Transición no es cultura de masas, pero para explicar que el 15-M es un elemento cultural fundamentalmente anómalo y fundamentalmente nuevo, es necesario recordar entonces que tampoco el 15-M es cultura de masas. Por eso, merece la pena empezar por aquí, por un lugar que no es el lugar objeto del artículo, sino otra cosa.

Lo que nos temíamos, todo ha sido un sueño: la mañana del 23 de mayo de 2010, la cadena de televisión Cuatro emitía en primicia mundial (tan solo veinte minutos después de su emisión original en Estados Unidos) el capítulo final de la serie *Perdidos*. Miles de jóvenes (y no tan jóvenes) se levantaron con el alba para terminar de ver su serie favorita, en vez de verla como había sido costumbre hasta ese momento: descargada a través de internet.

Cuatro conseguía redirigir las energías múltiples y dispersas y el *do it yourself* a la hora de programar contenidos, de nuevo, hacia un único canal, recuperando así la hegemonía del medio televisivo (uno de los padres de la CT española y, desde luego, el gran pilar de la cultura de masas) frente a la red. Lo que sucedió durante las siguientes horas de emisión fue la destrucción de un modelo cultural en vivo y en directo. Quienes habían puesto su confianza en la televisión frente a la red se encontraron con una emisión defectuosa que cortó una parte importante del capítulo. Pero eso no fue lo más grave. Segundos después de terminar el capítulo, Cuatro conectó con la «mesa de expertos» sobre televisión, series y SCI-FI capitaneados por Ana García-Siñeriz, que balbuceó ante sus espectadores: «Bueno, pues ha sucedido lo que muchos nos temíamos: todo ha sido un sueño».

De pronto, el espectador 2.0, acostumbrado a formar su opinión a través de una conversación colectiva en foros, redes, etcétera, el espectador que decidía si los capítulos le gustaban o no días después de haberlos visto a través de una conversación socializada y colectiva, se encontraba de morros con la autoridad televisiva: «Esto es lo que ha pasado y es así porque lo digo yo». Lo malo es que el espectador 2.0 supo, casi inmediatamente, que la mesa de expertos era menos experta que ellos mismos, y, quizá, esa mañana empezó a confirmar lo que ya se temía: que la gente que sale por la tele y que construye la realidad no son más listos que ellos. Más bien lo contrario.

Y del escepticismo, llegó la hilaridad... monárquica. El pasado 25 y 27 de octubre de 2010 Telecinco estrenó una miniserie llamada a convertirse en historia de la televisión, *Felipe y Letizia*, el punto de encuentro entre la CT y la cultura de masas. Un inteligente giro monárquico que sabía que necesitaba un «nuevo 23-F» de legitimación de toda una cultura, y que en este caso sería una boda pop y su correspondiente relato en «tu cadena amiga».

Sin embargo, la miniserie generó una espectacular reacción contraria. El espectador 2.0 había aprendido del fiasco de *Perdidos* y estaba esperando la serie con las hachas en ristre y las antorchas preparadas. La «masa enfurecida» iba a asaltar el castillo de Drácula. La serie fue *Trending Topic* en Twitter durante varios días, en los que se sucedieron las mofas, las parodias y la deslegitimación pública, tanto de la serie como de las figuras centrales de la CT. El ruido generado fue tan intenso que los responsables de la serie tuvieron, incluso, que responder en los medios de comunicación a las críticas.

Desde ese momento, los responsables de productos televisivos saben que una fuerza horizontal, con una capacidad ofensiva casi desconocida, espera cada nuevo producto cultural para tener «su propia conversación». Cuando el consumo es la forma principal de estatus, la crítica de los productos culturales es una forma expresiva, irónica y muy divertida de participación democrática. La cultura de participación de la red agujerea las formas de cohesión vertical de la CT y la cultura de masas. La anomalía 15-M empieza a asomar la patita por debajo de la puerta.

La idea de éxito en la Cultura de la Transición

Para pensar en un caso de éxito no CT, debemos pensar cómo entiende la CT el éxito. Para la Cultura de la Transición, el éxito es la posibilidad de pertenecer a ella. La Cultura de la Transición es unitaria y monopolista, así que no concibe (o anula) formas de éxito no CT.

Por eso, el éxito en España en los últimos treinta años ha sido un mecanismo de visibilización-legitimación en el que las esferas de la empresa, la cultura, la política, los medios, etcétera, se entremezclaban. Y de la misma forma se han ido generando «lugares del éxito», que siempre se reducen a la unidad: la portada de *El País*, la película ganadora de todos los Goya, la gira musical CT anual, la capitalidad cultural de una ciudad, etcétera.

El acceso a esos «lugares CT» determina la entrada a un supuesto Olimpo que otorga no tanto éxito económico (que también) como legitimidad para ser uno de los portadores de la voz del monopolio de la palabra y la construcción de sentido.

Quizá los momentos en los que esta lógica ha funcionado más claramente han sido a través de sus conflictos internos. Un ejemplo que puede ilustrar a qué me refiero es la polémica que protagonizaron el crítico de *El País* Carlos Boyero y el director de cine Pedro Almodóvar a cuenta de las crónicas que el primero mandaba desde el Festival de Cannes donde el segundo estrenaba *Los abrazos rotos*. La polémica no iba tan solo del derecho del crítico a contar la realidad como le venía en gana, o del derecho del director manchego a cuestionar la diferencia entre una crítica (subjetiva) y una crónica (objetiva). Lo que se ponía encima de la mesa era una pelea por la legitimidad CT en el interior de las páginas de *El País*. Para Boyero, él representaba el gusto del público en general por escribir donde escribía. Para Almodóvar, se le debía un respeto por la relación sinérgica entre la «marca Almodóvar», «la marca España» y «la marca *El País*», todas ellas convergentes.

Unas semanas antes a la escritura de este artículo, el actor Antonio Resines se quejaba de las críticas a la serie de la que era coprotagonista (un remake de *Cheers*), diciendo que era inaudito que un periódico como *El País* criticara una serie producida por una productora «de su mismo grupo empresarial». La clave de la CT no es la aplastante lógica capitalista de no criticar tus propios intereses, sino la dinámica autoritaria por la cual uno no tiene el más mínimo pudor a la hora de decirlo, porque sabe que nadie va a cuestionar el argumento en sí.

Antecedentes: reventando la cultura copyright

No hay nada más unitario y monopolista que la cultura copyright. Una cultura representada por el control del flujo de contenidos y el respeto profundo y trascendente por la idea de «obra» y de «autor», desde una perspectiva completamente superada por los tiempos de la remezcla y la apropiación.

La crisis de la cultura copyright en nuestro país es una de las múltiples grietas que sufre la CT desde hace algunos años. Y, en lo que tiene que ver con el sentido de este texto, la lucha contra la cultura copyright ha sido el dinamizador principal de un espacio político nuevo que ha desembocado (junto con otros filones y deseos) en lo sucedido a partir del 15-M.

Creo que hay un ejemplo sencillo para entender las contradicciones del modelo CT monopolista y copyright, y la apertura a un nuevo modelo cultural post-CT, plural, copyleft y proliferante: la trayectoria del director Álex de la Iglesia como presidente de la Academia de Cine en España. La presidencia de Álex de la Iglesia fue presentada por la CT como el éxito de una suerte de rejuvenecimiento cultural, una transformación inmóvil, un «cambiar algo para que nada cambie». Álex de la Iglesia era construido como la condensación del nuevo cineasta español de los noventa: joven, gamberro, con capacidad para mezclar alta y baja cultura, popular, con una concepción industrial del cine y con capacidad para presentarse como «figura de consenso y renovación».

El problema empezó cuando Álex de la Iglesia se tomó su trabajo demasiado en serio, e hizo algo prohibido en la Cultura de la Transición: escuchar. El arte de la escucha es el arte de ponerse uno mismo en crisis y asumir que puede estar equivocado. Más aún, es asumir que existe «otro» que merece ser escuchado. Pero para la CT, el otro es siempre ella misma. Álex de la Iglesia encontró poderosas razones para cambiar de opinión con respecto a la aplicación legislativa más dura (y más inútil, también) de la política copyright, y decidió hacerlo criticando la ley Sinde. La respuesta a sus palabras fue una presión mediática desmedida y una colección de declaraciones para el recuerdo, que terminaron con su dimisión como presidente de la Academia.

Las reacciones de pánico de muchos profesionales del audiovisual, que pedían «Álex, no nos abandones», remitían al pánico de quien cree que no hay nada ahí fuera, que no hay vida más allá de la CT. Pero el cambio de opinión y el abandono, tras maratonianas sesiones conversando con miles de personas a través de Twitter, remite precisamente a la existencia (quizá incipiente) de esa vida fuera de la CT.

Podríamos creer que esa crisis de la cultura copyright monopolística de la Cultura de la Transición viene determinada exclusivamente por sus «errores» o por una situación de crisis cada vez mayor. Lo cierto es que no por casualidad España es uno de los países en los que el copyright está más eficazmente deslegitimado. Desde finales de los años noventa, el movimiento copyleft ha ido creciendo y creciendo de forma espectacular. La interacción entre la red y la calle, los llamados *hacklabs* (laboratorios de experimentación política con nuevas tecnologías), la existencia de una masa crítica de proyectos editoriales y culturales junto a una masa crítica de juristas produciendo legislación, amén de una población dispuesta a romper el monopolio de la distribución de contenidos (sobre todo televisivos) compartiendo sin parar, remiten a que esta crisis (como la que pone encima de la mesa el 15-M) no es solo fruto de lo mal que lo hacen unos, sino, sobre todo, de la potencia de afirmación, la creatividad y la capacidad para producir movimiento de otros.

Fuera del juego cultural: Democracia Real Ya y la política de la amistad y la indeterminación

La CT es un sistema cultural inmóvil, que intenta asignar posiciones a todo el mundo. De esta forma, la CT acepta el disenso, siempre y cuando se produzca de la forma en la que la

CT determina que el disenso debe producirse. Así, la CT ha permitido durante años la existencia de partidos que son de derechas o de izquierdas, según un pack cultural y de identidad predefinido con una serie de límites intocables. La lógica que opera en la CT desde su origen es una lógica que determina fronteras y asigna el papel de «el otro». Las posiciones fijas, las filas prietas. Podríamos llamar a esa política, política del enemigo. Un enemigo que me da sentido, que me define y que me permite afirmar una serie de lugares comunes. La CT quiere determinar la realidad, ponerle nombre a todo y clasificarlo.

La convocatoria a la movilización que la iniciativa Democracia Real Ya lanzó a las redes el 15-M jugaba a un juego completamente distinto: una lógica de apertura e inclusión que se colocaba en el centro de la propuesta. Un logo abierto, apropiable por cualquiera que comparta unos mínimos que se presentan, además, como sentido común más que como una propuesta ideológica clara.

Se impone, por tanto, una lógica contraria a la de la CT. Una política de la amistad y una política de la desidentificación que parece querer decir sistemáticamente «no me nombres». Un movimiento al que le gusta decepcionar, que disfruta no siendo lo que se espera de él y desafiando con incertidumbres las habituales certezas de la CT, que funciona siempre sobre el horizonte programado de la política del enemigo, en el que todo el mundo sabe lo que va a pasar porque todo el mundo está ocupando su lugar.

La CT hace de la materialidad un problema, y la discusión política se disuelve en una suerte de variaciones de tipo menor en torno a cuotas, subidas porcentuales y márgenes de las libertades individuales. El modelo cultural 15-M construye su éxito dándole centralidad a la materialidad de la vida, el empobrecimiento, la precariedad, los malestares profundos de soledad, depresión y tristeza, etcétera.

El «éxito» del modelo cultural 15-M es el éxito de la no identificación, el éxito de quien juega al despiste, el éxito de quien sitúa el eje del conflicto en la relación entre el abajo y el arriba, no a izquierda y derecha, quien se resiste a ser fijado en ninguna posición, quien opta por moverse, e incluso (como sucedió con el levantamiento del campamento de Sol) quien elige desaparecer antes que fijar una posición como inamovible. La CT llama a eso falta de madurez, incapacidad organizativa, etcétera.

El éxito del modelo cultural 15-M es también el éxito de quien se resiste a tomarse demasiado en serio, por serios que sean sus objetivos y profundo su «proyecto» (o proyectos). Ese «no tomarse en serio» desespera profundamente a la CT, cuyo valor de cohesión social fundamental es considerar que sin ella no hay otra realidad posible (Cultura de la Transición o barbarie) y que, por tanto, todo lo que es «CT» es importante.

El éxito como proliferación: la ciudad democrática de Sol

La «Ciudad Sol», la toma generalizada de las plazas por medio de las acampadas, generó una concepción nueva de la realidad. La Cultura de la Transición necesita, para poder ejercer su poder, de un espacio de exclusividad al que permite entrar a unos y otros que representan los valores de la sociedad al completo. Ese espacio tiene que ser pequeño y la «sociedad al completo» tiene que estar acotada.

Digamos que en la CT podemos hablar de que el vaso está medio lleno o medio vacío, pero siempre sobre la idea de que es un único vaso: EL VASO. Y que es mensurable y determinado, es decir, escaso.

Cuando se iniciaron las acampadas, la Cultura 15-M propuso una nueva concepción de la realidad, no como escasez, sino como exceso, como abundancia. La realidad podía ser mucho más de lo que aparentemente parecía. Los días, por ejemplo, duraban más. Una plaza podía ser mucho más que una plaza. La cooperación entre muchos demostró algo que parecía desterrado del escenario político y de la vida misma: la posibilidad de crear. Lo que llevó a la gente a las plazas pudo ser la indignación, lo que las mantuvo allí (y nos mantiene en movimiento en las redes, las asambleas de barrio, en las nuevas movilizaciones, etcétera) es la alegría y el deseo.

El éxito del 15-M es el éxito de la proliferación, el éxito de crear. Ese éxito, que podría decirse al modo zen como «el uno que se hace dos», es lo contrario al éxito CT: «el dos que se convierte en uno».

La CT insiste en que nos representa. Las plazas responden con una voz nueva que dice «No nos representas», pero lo que la gente en las plazas hace con sus manos, con su cuerpo y su cabeza señala algo mucho más claro e importante: «No os necesitamos».

La crisis de la Cultura de la Transición y el éxito no CT del movimiento 15-M se resume en que el 15-M ha creado vida allá donde no hay nada. La pregunta que se pone encima de la mesa es, entonces: ¿cuánta vida tendrá esa vida? ¿Cuánto durará el éxito del 15-M?

Despedida y ¿cierre?

Decir que la CT ha sido superada por el 15-M es una tontería del mismo tamaño que ignorar la profunda crisis de sentido por la que atraviesa la misma. La partida está absolutamente abierta. Quizá el PP se aferre a la CT para mantener la gobernabilidad, quizá se deje mecer en brazos de la Cultura de Masas apostando por un modelo de fascismo posmoderno «a la Berlusconi». Quizá ni siquiera sea capaz de abordar ninguna de las dos cuestiones, quizá invente una nueva. Veremos qué pasa.

En lo que al 15-M se refiere, en los últimos meses hemos asistido a todo tipo de intentos de lo más CT para asignarle un lugar y fijarlo al suelo: se lo ha querido convertir en un «movimiento violento» para desactivarlo; también se lo ha querido llevar hacia el pack cultural «de izquierdas», para neutralizar así su potencia de inclusividad y proliferación, abierta y experimental.

El propio movimiento se ha sometido a una carrera de convocatorias en las que «se suponía que debía estar», probablemente por un sentido de la responsabilidad colectiva con enormes dificultades para decir que no.

Sin embargo, en un contexto hipermediatizado y sometido al estrés de las redes sociales, mientras intentaba movilizarse por una y mil cosas, el movimiento ha ido generando su propia temporalidad a la sombra, discretamente. Es difícil no ver en el reciente movimiento de defensa de la educación, las trazas y el ADN del movimiento 15-M. Las asambleas que han florecido en los barrios (y ahora también en las universidades) mantienen un nivel de actividad envidiable y empiezan a fraguar formas de organización cada vez más complejas. Las redes sociales siguen un proceso de experimentación que genera nuevas herramientas de trabajo y comunicación productiva. Más importante aún, el movimiento ha seguido su lógica de enjambre, ha saltado a las calles de Wall Street y el pasado 15 de octubre construyó su primera movilización global (otro golpe, por cierto, para la CT, que pretendía encerrarlo en una clave estrictamente nacional).

La crisis, sin embargo, no solo no ha terminado, sino que ha agudizado su expolio de los derechos colectivos y de las condiciones de vida. La alegría de las plazas, el lazo comunitario construido a partir del «estar juntos», se enfrenta a la dificultad de «hacer sociedad» mientras la sociedad se va a la porra. La Cultura 15-M puede oponerle al «sálvese quien pueda» otra forma de supervivencia que pasa por la cooperación y la construcción de otra vida.

Quien cree conocer las recetas le dice al movimiento que debe hacer llegar sus demandas a los agentes de la CT. Hacer Cultura de la Transición. Ser responsable y formar un partido, unirse a alguno, o expresar una opinión que sea recogida por esos otros legitimados en esos cuartos pequeños alrededor de los cuales nos dicen que solo hay barbarie. Quizá el movimiento elija ese camino por la impaciencia y las dificultades que cualquiera solemos tener para explorar caminos desconocidos.

Quizá elija usar la imaginación en vez de la memoria. Quizá elija apostar por lo nuevo en vez de por lo conocido.

Yo espero que así sea. Es lo que ha hecho hasta ahora.

La CT y la cultura digital:
cómo dar la espalda a internet

Por Raúl Minchinela

El 3 de diciembre de 2009, catorce internautas recibieron sendas llamadas del Ministerio de Cultura. Los teléfonos les emplazaban para la mañana siguiente, con solo horas de plazo para anular compromisos y echarle coraje si uno tenía el descaro de vivir fuera de Madrid. Cuando publicaron su citación en las redes sociales, se reveló qué tenían en común: eran impulsores del manifiesto «En defensa de los derechos fundamentales en internet». El documento se oponía a la intención de la ministra Ángeles González-Sinde de modificar la legislación para cerrar páginas digitales sin intervención judicial. La llamada ley Sinde, que se intentó incluir de tapadillo en una ley económica, había producido una avalancha de críticas, así que los convocados tenían la esperanza de que la ministra les reuniera para escucharlos. Pronto comprobarían su error: les llamaba para que hicieran de megáfono y de traductor. Para que extendieran la buena nueva en el lenguaje del pueblo digital, que no había comprendido las bondades de la propuesta por algún misterioso error de transmisión.

A la mesa que ella había convocado, la ministra llegó tarde y se marchó pronto, dejando —como dicen los humoristas— un *encargao* que les concretaría los detalles. Estaba convencida de que sería suficiente, de que los seduciría con su oferta llena de ventajas. Pueblos de internet, os portamos lustrosas baratijas. En el punto central de la reunión, el ministerio expuso el argumento que atesoraba como irrebatiblemente convincente: la medida propuesta circunvalaba derechos fundamentales como la libertad de expresión o la presunción de inocencia, pero era un «proceso constructivo» porque —atentos aquí— el ministerio tenía entre sus planes desarrollar «un superportal de contenidos». La frase condensa el abismo entre la cultura oficial y el mundo digital. Para retratar esa sima, tenemos que mirar al detalle todo lo que la frase no dice, todo lo que se da por sobreentendido.

Hablar de cultura es un campo pantanoso, porque no hay una definición firme del término. Se puede entender la cultura como todo aquello que hace el individuo más allá de cumplir sus necesidades esenciales: desde ese punto de vista morder un tomate no es cultura, pero sí lo es cortarlo en daditos y sazonarlo con albahaca. Cultura sería todo ir más allá del comer-huir-pelear-reproducirse básico. En 1871, el antropólogo Edward Burnett Tylor definió la cultura como «el todo complejo que incluye costumbres, conocimientos, creencias, capacidades y hábitos adquiridos», lo que además de la creación incluye la transmisión. Es cultura todo lo que sublima o sobrepasa los instintos primordiales. Y, en consecuencia, es habitual decir que toda persona sin cultura es un animal, un bruto, un primate.

Lo que hoy se entiende cuando usamos la palabra cultura es radicalmente distinto; más estrecho y a la vez menos concreto. No es cultura todo lo que hace el ser humano. Los bonos de inversión no son cultura, sino economía; igualmente, las bombillas no son cultura, sino tecnología. El uso actual de la palabra mágica corresponde a lo que los analistas llaman *cultura circunscrita*. Cultura es lo que queda fuera del campo de la industria, de la física y de la medicina, lo que ha llevado a definiciones como esta: «Cultura es todo aquello que cae en la jurisdicción de los ministerios de cultura, de las consejerías de cultura, de las concejalías de cultura». El filósofo Gustavo Bueno la señala en *Teselas*, número 4, como una definición «puramente denotativa, pero que está funcionando sin cesar».

Las dos definiciones se separan radicalmente. En la definición antropológica, la cultura nace de los hombres, y el papel de los estamentos es atestiguarla y nutrirla, igual que los botánicos incluyen en su catálogo cada nueva planta encontrada. La cultura nace de la gente y de su interacción, y cambia necesariamente con los tiempos. Hay nueva cultura con nuevas pieles a cada generación. La definición denotativa le arrebata la cultura a los hombres y se la entrega a los estamentos. Las instituciones no atestiguan la cultura; en su lugar, dan marchamo de existencia. En lugar de la función del botánico, la institución pasa a tener el perfil del ganadero taurino. La divisa es la que crea mágicamente el toro. El estamento determina qué es cultura, y todo lo demás es despreciado como una cosa marginal, desdeñable, de perdedores.

La cultura antropológica es horizontal; el canto que prospera puede venir de los pastores o de los mineros, o de una inspirada burla al alcalde. La cultura circunscrita es rigurosamente vertical, completamente jerárquica: cae desde arriba, se sustenta en una élite de *modos a priori* que son establecidos como una inteligencia oficial y que permiten plantarse a espaldas de lo que suceda en la calle. Puntualmente se hacen concesiones a la cultura antropológica, con un ritual que les sonará conocido: en el currículum del artista aparece un apartado detallando que «desempeñó los más diversos oficios». El sello de aprobación es así, además, un marchamo salvador, que ha librado al protagonista del mundo y de lo mundano. La separación es sustancial para entender el abismo entre la CT y el ecosistema internet, que es una comunidad de individuos, de personas reales, donde existe necesariamente la creación. Las obras digitales suceden fuera del ámbito de las instituciones y, por tanto, no se consideran cultura.

Eduardo Bautista, durante años presidente de la Sociedad General de Autores y Editores (SGAE), hizo una reveladora declaración en mayo de 2011, en una entrevista concedida a *El Mundo*, al hilo de la citada ley Sinde: «Sin cultura, internet sería para el porno y las apuestas». La frase acota *todo lo que no es cultura* en el inconsciente denotativo. En primer lugar, el *dinero*: el mito relaciona al artista con el iluminado, y es obsceno vincular una cultura rica con una sociedad adinerada. En segundo lugar, el *sexo*, que es como decir *lo ani-*

mal: el hombre sin cultura es un ser asilvestrado, que ha recibido de los dioses y a regañadientes las rimas y la trigonometría. Y hay un tercero implícito: sin cultura internet seguiría siendo una interred, es decir, *tecnología*. Los tres elementos —lo económico, lo natural, lo científico— trazan el contorno de la definición denotativa. Con un matiz importante: la frase concibe la cultura como algo que se puede extraer quirúrgicamente de las personas. Los ciudadanos digitales se aprovechan de *nuestra* cultura para comunicarse y, por extensión, para ser. Los internautas son ladrones de cultura: aparece en la red arrebatada a otros, colocada allí por accidente o por vileza. La visión jerárquica concibe la interacción entre individuos sin la aparición y la floración de cultura.

Bajo esta luz se entiende el retrato oficial que se ha fijado sobre internet y sobre sus usuarios. Una de las directrices de la CT ha sido resistirse al cambio generacional, aprobar con su marchamo solo aquello que concordara con sus parámetros. La red daba paso a una era de autoedición sin precedentes, pero se describía como un simple canal, «la autopista de la información». Plasmarla como un puro medio de distribución señalaba la cultura digital como redundante, cuando no escuálida. Tan interesante y tan productiva como un vagón de mercancías. Pero para los hombres nuevos lo digital no es solo una herramienta, sino un pilar de su relación con el mundo y sus congéneres. En los colegios y los institutos, las relaciones sociales y sentimentales se están vehiculando con chats y textos de móvil y muros de mensajes. Con datos que viajan kilómetros para caer en el pupitre de al lado. Es fácil hacer un juicio cínico y minimizarlo: reducirlo a un enseñarse vídeos graciosos por Bluetooth, ridiculizarlo por el uso de emoticonos. Pero la nueva generación está modulando sus «usos y costumbres» sumando el contexto digital al contexto vital. Simultáneamente, la cultura estamental ha ido progresivamente influyendo menos en la calle. La modelo Sofía Mazagatos lo condensó en una célebre confesión que realizó en el cambio de milenio. Cuando le preguntaron sobre el escritor Mario Vargas Llosa, hizo un juicio que cristalizaba la relación ciudadana con la cultura oficial: «Le sigo hace tiempo, nunca he tenido ocasión de leer nada de él». Los programas de televisión se mofaron con saña, pero revelaba una clave que preferimos callar. Retratar la red como un simple cartero y no como un ecosistema libra a los botánicos culturales de asomarse a las flores desconocidas que brotan en el paraje electrónico. Lo digital es un nivel inferior que frecuentan aquellos incapaces de progresar hasta la imprenta. Un fútbol de tercera división, un quiero y no puedo.

Desde el principio, internet se presentó como una pura herramienta e, inmediatamente, como herramienta sospechosa: las noticias lo asociaban a la distribución de pornografía y a los grupos paramilitares. Los opinadores defendían en antena la prohibición completa porque existía una página miserable que defendía ideologías neonazis. El primer juicio atendió a la valoración habitual en las directrices CT: calificar lo desconocido como terrorista. Internet era puramente *tecnología* que, además, se utilizaba para fines *salvajes*. Tras esa primera oleada, la siguiente fase fue la económica. Los informativos daban cuenta de la época de los dividendos de la especulación de las *puntocom*. Los titulares atestiguaban el crecimiento de las acciones y su depreciación en la crisis de 2000. Mientras se mantenía el juicio de que la cultura digital era desdeñable por lo efímero de los links y los formatos, se detallaba la circulación del capital, tan volátil que hoy está en una informática y mañana en una petrolífera. En esta segunda encarnación, internet era principalmente *dinero*. El retrato hasta el cambio de milenio encajaba al completo con la frase de Bautista y con la cultura circunscrita. Internet aparece sucesivamente como tecnología, dinero y bajos instintos, léase, sexo y violencia. En suma, como *todo lo que no es cultura*.

La extensión del mundo digital resultó no tener vuelta atrás: antes los costes habían limitado el acceso, pero ahora se postulaba una conexión por hogar. Hubo que limpiar la imagen del usuario digital con cuidado de no contradecir el discurso mantenido. Así se decretó una consciente separación entre edades: por un lado, continuaba la denuncia de los jó-

venes internautas, que descargaban archivos comprometidos
y compraban sustancias ilegales a países remotos; pero por
otro, apareció la imagen beatífica de la abuelita que descu-
bría las bondades del chat o que se abría un blog para escribir recuerdos nonagenarios. Los telediarios se trufaron de an-
cianos ilustrando cursos digitales y coberturas en poblaciones
rurales. Los usuarios de internet quedaban segregados: los
buenos eran los que adoptaban el ordenador como *artilugio*
sorprendentemente útil, los malos eran los que crecían *convi-
viendo* con la red.

Con la llegada de la banda ancha, los contenidos digitales
aparecieron finalmente en los informativos, en forma de vídeos
aficionados, pero se cuidó mucho en apartarlos de un posible
concepto de «cultura en internet», como algo que afectara a la
calle y el momento. Los primeros en aparecer fueron los vídeos de desastres: tomas subjetivas que ilustraban noticias sobre terremotos e inundaciones. Rellenaban minutos de emisión a coste cero, lo que potenció su extensión: así llegaron las
grabaciones que mostraban peleas callejeras o conductores
imprudentes que presumían de violar los límites de velocidad.
En el momento de escribir estas líneas, los vídeos digitales
aparecen habitualmente en los informativos, pero se centran
en dos categorías: percances y animalitos. El pasajero que cae
a las vías del metro y los gatitos que maúllan frente a bebés en
lo que parece una conversación. Vídeos que «están triunfando
en internet». El retrato de la creación digital que aparece en
los informativos tiene una constante: es *accidental*.

En contraste, sí que se da cuenta del eventual caso de salvación cultural: esos chicos que publicaban canciones en la
red y que ahora girarán tutelados por una multinacional —el
disco, en una sublime abstracción, convierte en música lo que
antes no lo era— o los blogs que se editan en forma de libro
—donde dije disco, digo lomo—. La condición de la cultura
de internet es que tiene que abandonarla. Un poco como decir que el flamenco solo existe a condición de que lo canten
los payos.

La visión oficial del mundo digital se ha anclado, en suma,
en las posturas mantenidas desde el principio: la red como

tecnología («Tuenti estrena chat con vídeo»), como dinero («Google incrementa su beneficio un 36 por ciento»), como complemento a las prácticas bárbaras («El asesino tenía un perfil en Facebook») y donde el único ciudadano de interés es el insigne en visita fugaz («El Papa escribe su primer mensaje en Twitter»).

Solo muy recientemente ha aparecido una fisura, donde los periodistas levantan acta sobre lo que dicen, hacen y articulan los habitantes digitales. Un verdadero giro, un antes y un después: los deportistas en las redes sociales. La radio, los rotativos y la sección deportiva de las pantallas publican los mensajes de los futbolistas y airean sus fotos hechas con el móvil, aquí con el trofeo, aquí con la novia, aquí marcando la v con los dedos junto al cantante de moda. Los deportistas —que son necesariamente jóvenes— atestiguan que la vida real y la electrónica coexisten y se afectan. El supuesto erial con visitas puntuales resulta tener, gracias a su testimonio, una población consciente y activa. Los deportistas con Twitter han resultado ser la avanzadilla, el indicador de existencia. Aunque una población que, eso sí, permite mantener alejado el concepto de cultura digital: recordemos que el ministerio se llama, precisamente, de cultura y deportes —noten la separación—, y que los deportistas que leen, por el hecho de leer, son noticia en los rotativos.

Los coetáneos de esos deportistas, toda una generación, son conscientes de la diferencia entre lo que viven y lo que aparece en las ventanas oficiales. La televisión española sigue incluyendo en su temario obligatorio referencias constantes a la Guerra Civil y a la Transición democrática. Cuando se alude a la música en la televisión, se opta por el «La, la, la» de Massiel, o el cantautorismo Serrat-Sabina de la era de la legalización de partidos. Si se quiere hacer alusión a lo moderno, la barrera se encuentra unánimemente acordada en la Movida del primer after-franco («Movida promovida por el ayuntamiento», apuntaban The Refrescos, refrescando la memoria). En las radios es más fácil escuchar un tema de La Unión —por tomar un extrarradio del movimiento— que de cualquier grupo español de los noventa o de los dosmiles. Solo aparece una mínima fisura que no se atornilla a la Franco-Transición: la canción del verano, que hace milagrosamente preguntarse en voz alta a los locutores qué sonaba hace cuatro años.

Los años vividos por las nuevas generaciones no están, no existen, están siendo circunvalados por la CT. Todo se referencia a esas fechas establecidas como las doradas y las únicas, borrando año tras año, década tras década, las aportaciones de los nuevos. Los jóvenes miran el relato de la CT como un universo ficticio, que les atañe por repetición, pero no por vivencia: un mundo que sale por la tele y que no está en sus vidas, como los barrios de telecomedia. Un relato extraterrestre. Ellos no se ven porque no aparecen. El retrato de la juventud en los medios oscila entre el habitual programa de chavales musculosos que ejecutan sus armas de seducción con jamelgas de extrarradio, y el sufrido espacio de «tendencias» que habla de *skaters* —y el monopatín, recordémoslo, data de los sesenta—. La nueva generación, para no ser eliminada de la visión pública, ha tenido que sacrificarse y darle al bíceps, y así participar en los espacios donde les dan cobertura y público, o sea, existencia. Como no atendían a lo que hacían, han hecho aquello con lo que les atienden. Los jóvenes aparecen en los medios mediante la libido y la acrobacia: su cultura aparece como *sexo y ejercicio*. Se da cuenta de la nueva gente como se ha dado cuenta de la cultura de internet: mostrándolo como la *no cultura*.

Cuando solo es cultura la aprobada, cuando la creación se determina a priori, no hay sitio para la novedad, no hay lugar para las nuevas generaciones. Cuando todo se referencia a un único período, todo lo que aparece desde entonces es desdeñado. No puede tener influencia: la única permitida —la única *posible*— tiene un marco temporal inamovible, anclada en un momento interesado. Pero internet aparece después de la Transición poscaudillo: las influencias digitales son posteriores a esa movida inamovible y no tienen una época dorada impuesta desde las alturas. Las condiciones impiden redirigirla al temario libertad-sin-ira. No puede arreglarse por el camino del bombardeo o del ninguneo. Así que, en lu-

gar de la estrategia de los medios, se ha acudido a la estrategia de los espacios.

Los espacios de acceso público han sido convenientemente sometidos a la disciplina de la no conflictividad. Los
locales con música en directo se han grabado hasta la ruina o
directamente se han cerrado, hubiera o no protestas vecinales. Igualmente, veladores aprueban qué puede y qué no puede suceder en los teatros y en los centros de barrio. Con los
espacios controlados, la cultura que ocupa lugar no atiende al
público, sino al gestor; no satisface la calle, sino los despachos. En su intervención ante los blogueros, el Ministerio de
Cultura proponía clausurar las páginas web sin necesidad
de que nadie comprobara si era o no justo, es decir, proponía
aplicar el método a los espacios virtuales. Como compensación, proponía ese bendito «superportal de contenidos», donde todo —convenientemente aprobado con su sello— cumpliría eficazmente su función de no ser discrepante.

Es una vuelta de tuerca sobre las definiciones de cultura
que hemos manejado. Ya no era solo que la función de botánico de la cultura antropológica hubiera derivado en la del
ganadero de la cultura circunscrita. No bastaba con que solo
fuesen toros los que llevaran la divisa de aprobación mientras el resto corrían sueltos aunque marginales. Ahora se buscaba la autoridad para ajusticiar esos otros toros sin sello:
cortarles las patas a capricho y dejarlos morir aislados, con la
excusa de que su ganadería sería así más reluciente, una superganadería. La colonización del pasado no se conformaba
con ningunear el ahora: además buscaba eliminar al pueblo
digital. En un gesto de generosidad.

En internet hay creaciones que no tienen espacio en el
mundo oficial: humor inimaginable en antena, música que
solo puede repartirse fuera de los canales controlados, crítica
analítica que circunvala el academicismo, literatura de prosa
no anclada, audiovisuales que no rinden pleitesía a los distribuidores. Y eso son solo los gemelos mutantes de la cultura
clásica: también hay elementos que son tan nuevos que escapan el paralelo, que requieren una descripción detallada para
enmarcar su existencia. Eso está, ha florecido, existe.

El movimiento de mayo de 2011 reveló el corte generacional: los analistas no sabían ni el cómo ni el porqué, lo referían al papel impreso y a líderes oscuros, encajaban la verticalidad a machamartillo. Ha sido la punta de lo escondido bajo la alfombra. El pilón de la referencia obligatoria ha acallado generación tras generación y ahora se alinea generosamente para eliminar la digital. El reto hoy es que la presente generación no sea, otra vez, invisible para la siguiente.

La CT y su posible pervivencia en internet

Por Carlos Acevedo

Declaraciones de profundo amor y de vehemente rechazo. Cientos de páginas que hablan de lo mismo. Miles de páginas que hablan de otra cosa. Millones de usuarios y la ilusión difusa de que cualquier consigna o apunte vale de algo por estar allí, conectado al mundo. Algarabía, eso es internet. Una gritería de voces que hablan a un tiempo. Bueno. Es la definición más cercana a la que he podido llegar. Me gustaba otra, pero no viene al caso.

El caso: intentar ver por qué el modelo impuesto por la Cultura de la Transición prosperará. Y por qué ciertas dinámicas de internet son un indicio de ello. Lo miro ahora, que nada obliga a pensar que permanezca en su forma primigenia. Vamos, que igual ha mutado lo suficiente para sobrevivir.

No digo nada nuevo si apunto que después de más de treinta años de una —¿grande y libre?— vía de acceso a la cultura cabe pensar que algo ha quedado.

Por un lado, veo imposible que las instituciones se planteen un modelo de competencias aplicable a medio plazo para responder en condiciones al nuevo paradigma que impone internet al entenderlo como una herramienta más en la vida cotidiana, como el teléfono o los SMS. Mientras, la tele solo se refiere a internet para infundir terror: el tiempo que se pierde, la atención que se dispersa, la facilidad de crear redes —lo cual entraña la posible existencia de una red de pedofilia, subrayan—, y la posibilidad de difundir registros de prácticas violentas y/o gamberradas. Si le hacemos caso a la tele, internet no es más que una herramienta peligrosa en manos de perversos e inconscientes. Aunque también funcione como una biblioteca inabarcable. Bueno, en cuanto a esto, hago mío lo que el colectivo Wu Ming, en el prefacio a la edición italiana del libro de Henry Jenkins, *Convergence culture* (2007), sintetiza tal que así: «Una cosa es copiar un artículo de Wikipedia, y otra es entender qué es esa fuente, cómo funciona, lo que implica». Algo que solo puedo apuntar —no soy pedagogo, no sabría cómo resolverlo—, pero que entiendo como la insistencia en desarrollar las competencias que permitan plena autonomía al disponer de internet como la herramienta que es. Sin tutelaje ni falsas alarmas.

Por otro lado, están los patrones de comportamiento del modelo anterior. Uno parcelado y unívoco, cuyos miembros han dejado de problematizar a fin de exprimir su espíritu cortesano y colegir su albedrío a la voluntad del poder, sea este político o económico. Ante esto, ¿qué supone la caída de la CT?

Pienso la CT como una variación hispana, aunque exportable —y exportada, doy fe; soy chileno— de la cultura de masas, la cual entiendo como un dibujo de la cultura, definido por quién la produce, promueve y distribuye, y no por quién la recibe, valora e incorpora a su vida cotidiana, poniéndola en cuestión y convirtiéndola en experiencia. La CT es un período que define la práctica de una cultura dictada por el Estado. Una articulación de sentido que determina las pautas de pensamiento y conducta de sus usuarios, incluyendo, a su vez, los discursos posibles al momento de valorar los testimonios de esa cultura. Personalmente, creo que cada usuario puede elegir si aburrirse o entretenerse, si hacer caso o abstenerse de lo dicho en los papelotes o en la tele, pero para ello necesita opciones: internet las da todas, aunque solo a quien tiene las competencias.

Así, internet obliga a redimensionar la noción de cultura de masas en cuanto permite la circulación de testimonios culturales sin necesidad de que su valoración esté cifrada únicamente en términos cuantitativos. Este ligero movimiento invita a pensar la marginalidad, eso que está fuera de la CT, como un entorno donde la valoración incide en la concepción de lo común como una premisa, como un punto de partida inmediato, y no como una promesa o un fin último. Refiere, entre otras cosas, a cómo una experiencia privada deviene voz pública al dinamizar la circulación de un testimonio concreto entre los integrantes de una comunidad. Una comunidad pequeña, sí, pero que aboga por la discusión, pues mide el éxito en cuanto exista *otro* dispuesto a entrar al trapo. No hacen falta muchos. Basta con que ese testimonio circule y genere debates.

Visto así, no debería extrañarme que el régimen valorativo impuesto por la CT sea únicamente de tipo cuantitativo. Tampoco que se mantenga. Menos aún que no conciba las estridencias que entraña la crítica. Sin embargo, hay algo que sí me extraña: que lo haya logrado enviando cualquier disonancia a una marginalidad mezquina y aislada utilizando la sospecha; una herramienta que permite a la CT penalizar y tildar de disidente a quien practica la beligerancia. Un gusano, que diría Fidel Castro. Un friki, que diría alguien en la tele. Un inútil subversivo, que diría un miembro del actual gobierno chileno que simpatizaba con Pinochet y sus prácticas infames. Un enemigo de las urnas, después de las últimas elecciones. Un indignado, para gloria de un grupo editorial y las ventas de un libelo.

La CT concibe la disidencia como una patología y así la condena. Igual que en internet, aunque allí ya no sirve para justificar el disenso: ahora sirve para generar cohesión. En internet, según veo, no han abandonado la noción patológica que la CT deposita sobre el sujeto bajo sospecha. Ha hiperbolizado esa idea: evidencia tramas sin fundamento, valida testimonios sin contrastar, usa la imaginación para afirmar supuestos y penaliza complicidades. Se inmiscuye en la intimidad del sujeto bajo sospecha e intenta dinamitar su presencia amparándose en un carácter reaccionario. Practica el puritanismo y jamás interviene en aspectos no personales, tampoco en los motivos que generan esa patología que pretende extirpar. Solo ataca la presencia, limita el diálogo y potencia la opacidad. El ataque personal abunda en que la incidencia en la CT está definida únicamente por la presencia.

Me acuerdo: según un ex director adjunto de *El País*, una crítica/la beligerancia puede ser un arma de destrucción masiva.

En internet podría serlo, pues la sospecha entendida como única forma de crítica incide en acotar las libertades del sujeto bajo sospecha, que ve condicionada la percepción de su trabajo por su actividad en las redes sociales. «¿Debería dejar de mear fuera de tiesto?», se pregunta un sujeto bajo sospecha. «¿Debo establecer complicidades? ¿Cómo hago para hacerme con capital simbólico si mi trabajo por sí mismo no vale de nada?», se pregunta otro, que ha leído a Pierre Bordieu y quiere ser escritor.

La presencia, ese gran invento, comparte el mismo lugar tanto en internet como en la CT: uno central. Aunque durante el 15-M —y hasta el 15-O, por ejemplo— demostró que ya no está para estos trotes, evidenciando que la cultura precisa de nuevas presencias. Algunas, quizá, móviles o replegadas. De retaguardia. Ni idea. En cualquier caso, ahí sigue. Dibuja la misma dinámica que desde hace treinta años y propugna los mismos valores: estar, no desaparecer; que se le conozca y reconozca; que no decaiga, aunque no tenga nada que decir ni ofrecer, salvo su presencia.

La única novedad que ofrece internet a este respecto es la instrumentalización de esta noción de presencia gracias a herramientas como las redes sociales. Lo cual, a su vez, evidencia un problema: la posibilidad de no estar. Entonces, acaba por parecer normal que un usuario o navegante acote su imagen, rasgos distintivos y actitudes para promoverse constantemente, para convertirse «en un empresario de sí mismo, gestionando su Yo-marca», como dice Santiago López Petit.

Este proceso, en apariencia inane, resulta interesante cuando se piensa dentro de la modulación de la algarabía que supone el uso de internet, es decir, mientras se perfila la búsqueda de un tímido orden dentro del caos o, digamos, de una voz. Por ejemplo, las búsquedas en Google responden a complejos algoritmos que sugieren contenidos a partir de varias operaciones matemáticas cuyo resultado jerarquiza a la manera de las listas de los libros más vendidos: valora y promueve aquello que ya ha sido visitado más veces, aquello que más conexiones refiere, etcétera. Así, los datos que resultan de estos complejos algoritmos son una herramienta flexible para el marketing, puesto que lo mismo permite monetizar cantidades que dibujar una jerarquía. Mientras, el análisis crítico resulta cada vez menos pertinente, ya que «¡si la gente lo lee/vota/mira será por algo!». Así, el esclarecimiento de cualquier matiz resulta una pérdida de tiempo.

Si bien siempre ha sido difícil distinguir los rasgos cualitativos de la información, su veracidad, su incidencia en el dibujo de la realidad respecto a la noción de realidad que manejamos o que propugna el poder, hoy es cada vez más difícil distinguir el porqué, el cómo y el cuándo de la información debido a su crecimiento (imparable) e inmediatez (a ritmo de RT). Contra esto, los parámetros contextuales: momento en que la información sale a la luz, de parte de quién y a qué instancias concretas favorece, sean estas relativas al grupo económico o ideológico de turno. Inclusive en la forja de un Yomarca.

Esta operación sería, también, un ejercicio de sospecha.

En ese sentido, cabría pensar hasta qué punto merece atención un hecho determinado; por ejemplo, la negativa del poder a hacer un esfuerzo y comprender las dinámicas y el potencial del que internet dispone, o por qué un líder de opinión puede practicar la beligerancia en un contexto determinado, reafirmando su Yo-marca.

Mientras el primer caso nos lleva a la «conspiranoia», el segundo nos permite aludir a la violencia esgrimida por la CT a la hora de limitar el campo de lo posible. El líder de opinión, en este mapa, es un valedor de todas las preguntas y de todas las respuestas, y como tal, impide el diálogo, pues lo concibe como su coto exclusivo. Por eso practica el populismo y lo sentimentaliza todo. Vive de las estridencias y solo sabe expresarse en relación a su prosperidad, la cual está cifrada en las prebendas del poder. Es arrendatario de un mensaje difuso lleno de palabras vacías —Integridad, Democracia, Nación, Literatura, etcétera— que apuntan a las bases: su demagogia opera en el ámbito de lo difuso, aunque aprehensible. Es posible detectarlos por sus gritos o por su capacidad innata para tener siempre razón, algo muy voluble que igual coge y se va con el que más grita, o con el que es más retuiteado.

Imaginemos un Estado que no instrumentaliza la cultura. Y que en su lugar tiene como garante a un mercado que no solo ha trabajado junto al Estado y sus líderes de opinión —enredando las manos por debajo de la mesa en reuniones no oficiales, no sé—, sino que además cuenta con ex agentes del Estado —¿acabarán Rajoy y/o Zapatero de asesores en alguna empresa energética?, ¿en una inmobiliaria?— o, simplemente, como algún miembro más del omnipresente y variado *staff* de líderes de opinión con los que cuenta —¿contaba?— la CT.

Con el panorama así: ¿qué incidencia puede tener internet tras de la muerte de la CT? ¿Es posible horadar allí la hegemonía de ese Hombre En España Que Lo Hace Todo?

Si la CT es un muro que impide el disenso y blinda la cohesión, internet podría ser un espacio donde practicar el disenso, pues sería el otro lado que todo muro supone. Aunque, ahora que lo pienso, la metáfora es desafortunada, pues la CT es líquida y un muro nunca es líquido. No se desparrama. Tampoco es una papilla informe. La CT es, quizá, un charco. Al menos en cuanto saltar el charco es, también, saltarse la CT. Visto así, su pervivencia sería lo que queda en el fondo de un charco cuando este se seca. Quizá los líderes de opinión de la CT sean, con la CT ya muerta, ese polvillo o esa mancha que queda como recuerdo de un charco que alguna vez estuvo allí. Bueno, yo soy de la idea de que un día igual te despiertas y el charco sigue allí. Lo notas cuando tienes un pie dentro, no antes. Lo cual implica que igual a la hora de ponerte a ampliar los límites de lo posible te quedas sin trabajo.

Subrayo: el líder de opinión tiene un espíritu de cortesano que a veces azuza, pero que nunca problematiza. Articula palabras, de amor o de odio, da igual, y con ello cifra un intento de respetabilidad que llena con más palabras y con algún matiz insignificante. No ahonda en conceptos, sino que delata un ingenio poco común —¡el don de la oportunidad!— para que el público, a quién va dirigida su consigna, su libro, su lo-que-sea, no perciba que eso que priva a sus palabras de significado es su inquebrantable adhesión a aquello que siempre le da la razón. A veces parecen beligerantes, cuando, en realidad, establecen un marco de legitimidad con una versión maleable e instrumentalizable de la libertad. Internet es especialmente dado a estos despliegues, los facilita. Confunde, va demasiado rápido.

Traiciono a Henry Jenkins, catedrático del Comparative Media Estudies del MIT. Todo un referente a la hora de problematizar internet. Traduzco: «Para el presente pueden ser más valiosas las preguntas en torno a las prácticas éticas que las respuestas, dado que este proceso ayudará a todos a reconocer los diferentes supuestos que guían su conducta».

Donde pone «presente», imagine «decaimiento de la CT». Vale. Sigo.

Lector Mal-Herido es un blog de crítica literaria que nació en enero de 2007 y que Editorial Melusina convirtió en un libro-antología en septiembre de 2010. Creado por el escritor Alberto Olmos, dicho blog apuntaba maneras para convertirse en una nota discordante en la CT. Básicamente, porque su voz cantante es la de un personaje políticamente incorrecto que ha domeñado algunos de los preceptos de la CT: se ha saltado sus tabúes y ha acometido la labor crítica con humor y desde la beligerancia, ha ridiculizado sus posiciones políticamente correctas, ha atacado frontalmente ese crisol de experiencias de venta masiva que se pretende canon y así hasta suponer una renovación para los blogs literarios. De hecho, como toda renovación, goza de epígonos. Uno de ellos ha sido incluido en una lista elaborada por *El Cultural* de *El Mundo*, publicada, en su versión web, el 29 de julio de 2011. «Las mejores bitácoras literarias» es un ranking que se construye sobre la opinión de más de treinta escritores. Un ranking que, como ya es costumbre, generó una micropolémica. Esta vez, de género. Uf.

El resultado de este ranking —por lo demás, bastante predecible— tenía una originalidad. Se trata de *La Medicina de Tongoy*, un blog donde la crítica es entendida como un ejercicio de subjetividad válido en sí mismo. Según Alberto Olmos se trata de un «ejemplo de algo tan sencillo como un lector exponiendo sin pudor qué le pareció un libro». Bueno, me extraña que esto sea una originalidad, teniendo en cuenta la cantidad —ingente, imparable— de lectores que hacen lo mismo, pues internet permite eso: compartir opiniones y contenidos. Bueno, lo visito. Veo que todas sus lecturas están apostilladas, en lo que se viene a llamar *tags*, por nombres propios. En su mayoría, de escritores españoles en activo que pululan en internet. Lo cual me hace suponer que el uso del nombre propio es un reclamo, un llamado de atención. O no. Ni idea. Procedo a leer.

Leo una actitud beligerante. Leo «verdades como puños» —la actualidad cultural es un tinglado—, acusaciones gratuitas —¿se puede condenar a dos escritores por tener relación en las redes sociales?— y exceso de personalización —señalar con el dedo—, además de subrayar que el recambio generacional —que se ha producido de manera orgánica— es una tontería, pues los jóvenes son incapaces de sostener el peso de la Literatura en sus frágiles manos y que, por tanto, su presencia radica en una espuria complicidad con el tinglado ese de la cultura. Así hace patente una definición difusa de la honestidad mientras cuestiona las legitimidades del campo literario. Lo cual es curioso en cuanto el autor del blog se define solo —y tan solo— como un lector que pasaba por ahí y que expresa sus sensaciones.

Me detengo aquí porque esta beligerancia cuenta con una gran cantidad de anónimos que, escaldados, resuelven potenciar la honestidad del autor de este blog mediante el escarnio público de cualquier joven escritor. Esta mecánica dibuja dos instancias. Por un lado, que la originalidad de un suplemento la validan quienes forman parte del campo literario; y por otro, que existe un doble litigio: los nuevos contra los anteriores, los anónimos contra las presencias o el Yo-marca de turno (o de *tournée*, nunca se sabe).

Si bien la primera opción no merece mayor detenimiento, lo segundo tiene interés porque ese litigio generacional ha dado forma a un difuso culto a la juventud que la normaliza: en lugar de contar con un joven que se comporte como tal, que sea libérrimo y disoluto, que practique el humor y se exceda en sus juicios, se le aplaude con aspavientos cuando hace lo contrario. Este culto difuso —y líquido, como todo en la CT— le exige a un joven que acuse incomprensión y que forme parte de cualquier micropolémica de la que esté llamado a formar parte por el solo hecho de ser joven. Así, comienza una *querelle* que imposibilita la discusión, pues no comprende la posibilidad de «escuchar y reflexionar». Basta con formar parte de un bando o de otro.

En caso contrario, cuando jóvenes y no tan jóvenes se llevan bien y son amigos, rasgo distinguible, según los anónimos, por la presencia de los últimos en los proyectos de los primeros —en su mayoría magazines culturales—, son carne de cañón para que los anónimos desplieguen su arsenal de insultos.

Por cierto, los jóvenes también aparecen en suplementos y revistas. Subrayan que sus poemas futuros tratarán de la «violencia machista» o, en caso de ser narradores, sostienen que su pretensión es «solo contar historias». Lo cual nos invita a pensar que los jóvenes poetas no desestiman dedicar su lírica a las campañas sobre alcohol y conducción, en cuanto tema contingente, o que los narradores, quieran —¡otra vez!— acercarse a la Guerra Civil, pues solo se trata de contar historias. O no. Ni idea, no lo subrayan.

La extremada dependencia del juicio líquido de los medios ha hecho que el hacer cultural en internet produzca una sensación de *déjà vu* constante. Una repetición del todo ilusoria que precisa de actitud crítica para hacerse de la memoria del tiempo presente, para modular y así recoger algo sólido dentro de la algarabía. Quizá a eso responde la ridícula confrontación entre anónimos y el Yo-marca. Ni idea. Algún líder de opinión, digo yo, nos iluminará al respecto.

Además de modernos y cansados, vivimos en un caos que internet ha agudizado. No hay tiempo, dicen, para el desarrollo de nuevas competencias que permitan generar nuevas cartografías. Aunque, francamente, ante herramientas como el

Estado y el mercado, la marginalidad —eso que está al otro lado de la CT— tiene menos proyección que un Cinexin. Pero ese Cinexin es móvil, difícil de controlar, abierto a campos y comunidades diferentes. Genera dinámicas que permiten problematizar propuestas para comprender, crear y difundir la cultura. Modula la algarabía, aúna voces en torno a lo común: a veces con un montón de palabras esdrújulas y prefijos; otras, explicándolo a los niños. Cifra su punto de vista para que pueda ser expresado en la biblioteca y en el bar. Lo hace sin recurrir a la autoridad ni al populismo. Invita a la discusión. Sortea, con gran capacidad y soltura, los límites formulados por la CT. Incide en poner bajo sospecha las dinámicas que obligan a un sujeto a no ejercer su libertad, lo hace con vehemencia y sin entrar en patologías personales incluso cuando intenta desentrañar el pacto de inquebrantable adhesión de un Yo-marca. ¿O era un líder de opinión?

Hace ya tiempo, una pancarta de los estudiantes chilenos rezaba: «Ya no basta con twittear», apuntando así que internet es una herramienta que también invita a salir a la calle y ver qué pasa. Quizá, solo se trata de encontrarse y discutir, de reconstruir un lenguaje común, lo cual, si pensamos, junto a Francisco Casavella, que «el futuro es un monstruo charlatán y vengativo», es más que saltar el charco. Es, vaya, ampliar los límites de lo posible, algo que no ha permitido la CT, esa cosa líquida que solo permite una razón, hasta ahora, de Estado.

CT y humor: la risa atada (y bien desatada). O el paso del buen humor al desencanto y del mal humor a la inteligencia

Por Miqui Otero

Es aconsejable la decisión que hoy vamos a tomar, que contribuirá en gran manera a que quede todo atado y bien atado.

FRANCISCO FRANCO

Ya, sí, el problema es deshacer el nudo.

PERICH

¡¡Feliz año huevo!!

Los payasos de la tele

Y la semana que viene… hablaremos del Gobierno.

TIP Y COLL

GINTONICS A OCHO EUROS. ESA ES LA ESPAÑA QUE NOS DEJA ZP.

@masaenfurecida

¿Cómo están ustedes?

Pues eso, ¿cómo están ustedes? No, en serio, sin suspicacias: ¿bien?

Me presento. Soy la Comedia. Soy la Comedia española, como mi propio nombre indica. Y aunque algunos vean en mi apellido un pleonasmo y otros, un oxímoron, no pienso cambiarlo, porque las cosas me van ahora mejor de lo que muchos piensan.

Me precede mi fama de casquivana, pero mi alegría mana de mi ascendencia griega: *komos*, «la fiesta con cantes y danzas». Así que sobre la piel de toro he bailado el pasodoble, el jive, el pañuelo (un baile relativamente nuevo) y la yenka. Durante mucho tiempo me ataron, así que aguardé la liberación con la incertidumbre de Kiti en *Ana Karenina*: no se hacía grandes ilusiones con la contradanza, aunque esperaba con el corazón palpitante la mazurca. Pero si con alguna tonadilla he movido mis carnes, ha sido con «El camaleón». Como él, he cambiado de colores según la ocasión. A menudo me hago la tonta y otras aparezco como una reacción casi fisiológica ante el miedo, pero solo me han llamado inteligente en retrospectiva: jamás por lo que hago, sino por lo que todos acabaron por aceptar.

Mis más célebres amantes fueron de derechas y hay quien apunta que me van los anillos cuajados de diamantes. «Puede pensarse que el humor crítico es implanteable, porque el humor ya es en sí mismo desarme e integración de lo que se combate», dijo de mí Manuel Vázquez Montalbán. Y, aun así, fui la musa de la Transición del país que tuvo la gentileza de dotarme de apellido.

Yo era menos peligrosa que el Lenguaje Crítico Analítico o el Lenguaje Político de Oposición, esos cardos, así que ocupé portadas, rotunda y destapada, en los quioscos. Jamás me reconocieron un lugar en los más disputados sillares de la lengua, pero perdí brillo con la llegada de la democracia. Pasé, entonces, del buen humor al desencanto; y de este, al cinismo. Hasta que algunos se dieron cuenta de que el desencanto es incompatible con la autocomplacencia. Por eso ahora amenazo con regresar, porque siempre (y me pongo estupenda) he sido flor de lodazal.

«Yo quiero un TBO, si no me lo compras, lloro y pataleo», canturreaba La Goyita. Un tal Bergson dijo sobre mi madre algo aplicable a mi carrera. La risa del recién nacido surge tras haberse saciado: abandona el pecho, cierra los ojos y sonríe. Pero de pronto rompe a llorar. Sufre una opresión diafragmática y abdominal. Eructa y defeca, y vuelve a reír. Se ha relajado.

El gran circo de la risa

Palacio del Pardo. Interior. La carcajada aflautada burla umbrales y asciende por las escalinatas. El hombrecito se balancea en su mecedora, la manta de cuadros sobre sus rodillas, y en su cara relampaguea la luz de una televisión que él controla, si bien desconoce el mando a distancia. «¿Cómo están ustedes?», le inquieren. Y él, a pesar de los achaques que lo conducirán a algo tan embarazoso como es tener las heces melenudas, contesta que bien, muy bien. El señor Chinarro encaja cachetes, y eso al hombrecito le hace gracia. Francisco Franco está disfrutando de su programa favorito de televisión: *El gran circo de Televisión Española*. Quizá no haya reparado en que el título se puede tomar a la vez de forma literal, profética y metafórica, pero el caso es que cuando los payasos dicen aquello de «Feliz año huevo», porque nuevo no va a ser, él vuelve a reír. Un día se incendiaron los estudios de TVE y él marcó personalmente el teléfono de la cadena para interesarse por el estado de Fofito.

Es posible que Franco tuviera en mente esta frase de los Evangelios: «Dios ha revelado a los niños y a los ignorantes lo que ocultan los sabios».

Ya en el siglo XIX, la prensa satírica tenía una gran presencia, con nombres como *Madrid cómico* (y su desafortunada construcción narrativa de nuestro potencial en el desastre del 98), *El gato*, con una línea editorial parecida a la del programa actual o su antónimo catalanista, *¡Cu-Cut!*, con esa manía de meterse «contra la Patria y el Ejército» que los militares replicaron con el asalto de la revista al grito de ¡Viva España! Un episodio que no quedaría en anécdota, sino que plantearía un precedente, distanciaría a las tropas de la sociedad civil y fijaría las bases de lo que vendría.

En 1918 nacía *Pulgarcito*, que, con la coartada infantil, largaba cosas que los serios se ahorraban. Los líderes de la risa chic (Mihura, Tono) auspiciaban la avanzada *Gutiérrez*, pero, durante la Guerra Civil, parte de su *staff* emplearía su ingenio en levantar el ánimo nacional a través de *La ametralladora*, precuela de *La Codorniz*, que reinaría una vez acabadas las batallas. Su más ilustre colaborador, enfurecido con la condición humana pero satisfecho con el régimen político, Enrique Jardiel Poncela, escribía en *La tournée de Dios*: «Reír sin ganas es religiosidad. No tener dinero y simpatizar con el capitalismo, eso es religiosidad también».

Esa risa desganada se helaría en la posguerra. Son las víctimas y las minorías las que levantan el humor, así que, en un país maniatado, la comedia queda silenciada, demostrándose una vez más que la risa es siempre marca de modernidad y de inteligencia, a la que dieron muerte.

En paralelo al hormigón del desarrollismo se cimentó la idea del humor como necesidad cultural. Llegaban revistas especializadas en la filigrana de la elipsis que denunciaban los últimos coletazos del régimen, pero que también advertían de los peligros de una transición transfranquista: mensajes humorísticos que por su formalización se colaban por los embotados filtros de lo permisible. En aquella época, un libro como *Autopista*, de Perich, sátira del *Camino* del Opus Dei, vendía 300.000 ejemplares. Y, en 1972, compartían punto de venta, con tiradas entre 140.000 y 180.000, *Hermano lobo*, *Barrabás* y *Por Favor*. Se abría la ventana, pero no los portalones: en 1976 se sancionaba a esta última con un cierre de cuatro meses. Sus ideólogos (Marsé, Montalbán, Perich) aparecían poco después en portada magullados y con vendas.

Generaciones educadas en el miedo se defendían con el asco y la comedia. En esas páginas se pulsaban unas aspiraciones de liberación que no podían ser profundas con el correlato político, así se confiaba en el cultivo de la risa. Aunque surgían propuestas como *Euskadi Sioux*, se intuía el desencanto. Cuando se firmó la sentencia de Puig Antich, Montalbán escribió en *Por Favor*: «He decidido que hoy no merecía una oportunidad ese personaje [Sixto Cámara] tan imbécil que ha elegido el oficio de escribir para tratar de cambiar las cosas». Su socio, Marsé, dejaba escrito en *Últimas tardes con Teresa* una verdad que muchos gandules esgrimirían luego; arruinada la unión progresista, quedaba el cinismo vertido sobre los progres más hipócritas: «Con el tiempo, unos quedarían como farsantes y otros como víctimas [...], todos como lo que eran: señoritos de mierda».

Este país necesita un repaso

—Sabes que no me gusta recordártelo, Sixto, pero te lo dije. —Encarna se muerde el labio.

—Y tú sabes que sí te gusta. Y mucho. Te pareces a mi cuñado.

—Te lo dije. Te dije que no se podía discutir con un imbécil: te tienes que poner a su altura, y ahí él tendrá mucha más ventaja. ¿Te has tomado la pastilla, Sixto?

Sixto y Encarna, ajenos a la pueril evidencia de que los que se pelean se desean, siguen discutiendo sobre si la Transición se debía hacer por la vía de la reforma o de la ruptura. Como si hablaran de la guerra de Cuba. Como si reivindicaran apariciones marianas en las ronchas del techo donde la mayoría ya solo ve humedades. Ni el chucho les hace caso. En esas, suena el teléfono. Encarna dirige su taconeo hacia el aparato. Descuelga en esa negra noche de 1986.

—¿Encanna?, ¿¿Encanna de noche??

Y mira a Sixto con nostalgia, que escruta el pastillero con impaciencia.

Siempre se ríe en grupo y contra algo.

Durante una época, una masa social en España postulaba la incorrección política, mientras que otros la toleraban y los que la consideraban abominable se escondían. O no tanto. El 20 de septiembre de 1977 una bomba estalla y mata al conserje de la redacción de la anarcodespistada *El Papus*. Las revistas satíricas llevaban tiempo quejándose de la manga ancha con que se trataba a «los del búnker», a los cachorros franquistas que amenazaban sin represalia. Estos no eran el pollo que corre unos segundos tras rebanarle la cabeza, sino los huevos que había puesto el régimen, ahora incubados por los que llegaban: el hecho de que no se ajusticiara a los culpables validaba esas sospechas.

Decir que fue esta explosión lo único que dinamitó un humor elevado y progresista resultaría simplista. Pero, como en el caso de ¡Cu-Cut!, contribuyó no solo a la ruina de estas revistas, sino a la sensación de desamparo de los agentes críticos.

Se inició, entonces, el juego de las sillas musicales. Las cosas debían volver a su sitio, pero algunos ya no querían quedarse sin un ídem. Revistas como *Por Favor* arrancaban, afectadas por triquiñuelas de legislaciones más sibilinas pero igualmente arteras, su odisea de supervivencia: eran compradas por grandes grupos de comunicación, que las reformaban como intenta cambiar la novia al novio, para, una vez domado, perder su interés en él.

Se suponía que uno podía decir lo que quisiera, pero algunos prefirieron callar en tiempos en los que la elipsis ya no era (en teoría) necesaria. Donde la avanzadilla cómica vio ruptura, la sociedad asumió otra cosa. Algunos argumentarán que es más fácil meterse con un hijo de puta que con un cínico, con un supervillano que con un artículo de la ley, pero el caso es que llovía lejía sobre un humor que no se actualizó con rapidez. Por vocación, por acomodo y por su principal canal de distribución: la televisión. Al amparo de gobiernos continuistas y de empresarios que no hicieron dinero en un día (Chumy Chúmez: «Ayer no era nadie y hoy ya debe 300 millones»), se señalizaron con quitamiedos los límites de lo correcto. Con la excepción de la imbatible *El Jueves*, el humor erecto se volvía flácido.

Tip y Coll limitaban su comentario político a la muletilla de «Y la próxima semana… hablaremos del Gobierno». Se decantaron, pues, hacia un humor absurdo, siendo este el que niega la mayor porque evidencia el fracaso mismo de la razón, mientras que el costumbrista se queda en la crítica a las convenciones sociales en el mejor de los casos y en el chasca-rrillo reaccionario, en la mayoría.

Pero quizá los españoles preferían quitarse el corsé en sentido literal y no metafórico, ya que fue el erotismo *soft* de Pajares y Esteso el que se convirtió en correlato y propaganda de la felicidad sin ambición: picaresca, muslamen y una apertura que se limitara a las piernas y carteras de las suecas.

Las arengas a que quien no estuviera colocado se colocara (democráticamente, claro) se traducirían en una severa resaca que arrasaría la risa y la memoria. Cuando se disolvió el primer alka-seltzer, el piso volvía a estar ordenado al gusto de los caseros.

Miguel Gila volvió de su exilio a una televisión de 1985, donde reinaban Martes y Trece con un humor blanco nuclear y de imitación que ahora pasaría por negro: «Mi marido me pega». La televisión es una ventana para toda la familia: colocar en ese marco la risa permitía, con la excusa de los gustos y derechos de todas las edades, consolidar un humorismo inane.

A pesar de ello, Faemino y Cansado nos educaban en un programa infantil como *Cajón desastre*, en una maniobra similar a la de *Pulgarcito*. Los programas de Amestoy como simulacro crítico o la visión de periodismo rosa *trash* prefigurarían muchas cosas de la actualidad: la creación de famosos de Serie Z al margen de la realidad en *Sal y Pimienta* llevaría a circos similares en *Crónicas Marcianas*, *Aquí hay tomate* y *Sálvame*.

Los noventa presenciaron la irrupción del genio de la greguería gestual: Chiquito de la Calzada. A pesar de su talento, el disparate del panorama cómico (chistes e imitaciones) lo hallaríamos en las actas del juicio entre Chiquito y su imitador, Crispín Clánder: «Fistro, no me impidas decir fistro». Así pasaban los días. En paralelo, crecía ese rosa amarillanto en *Dígame*, resucitada por Emilio Rodríguez Menéndez, que intervino en los casos de la dulce Neus, El Nani, El Dioni, Roldán y Pedro J, antes de alunizar en el mundillo *marciano* de Nuria Bermúdez. Su falta de escrúpulos con los agentes políticos era lo más parecido a la sátira en su versión posmoderna.

Y, sin embargo, la pérdida de mordida cómica y el triunfo de la amnesia cristalizaron en la conversión de un programa de radio en espacio de Telecinco: *Este país necesita un repaso*. Allí compartían mantel clasistas como Alfonso Ussía, neoliberales feroces como Miguel Durán y humoristas *tutti-frutti* como Tip y Coll o Mingote. La Transición había logrado su objetivo: llenar la boca, alrededor de la misma mesa, de los que podrían haber hablado y exigirles las mínimas normas de decoro del invitado en una casa «modélica».

Las flechas con ventosa de *Las noticias del Guiñol* apuntalarían una comedia cercana a los muebles de caoba, que deslegitimaba el intento de otra verdaderamente combativa. La risa dejaba de ser un modo de negociar con lo injusto, con lo precario, con lo nuestro. Los límites de lo correcto servían, entonces, para poner puertas al campo y diques al mar.

El secreto está en la masa

A sus treinta años, no tiene otro objetivo que el de esperar el futuro como quien aguarda a un tren fantasma. El plumón rojo sin mangas se comba demasiado ceñido a un torso inflado y atirantado por la generosa ingesta de cerveza. En otra esquina, la tragaperras alinea una macedonia ante la mirada congénitamente paciente del chino. M.M. se echa al coleto otro orujo y evita constatar en el espejo de la barra unas entradas tan rotundas que se dirían financiadas por el Plan E. Ahora repara en un calendario colgado al lado de dos chorizos cruzados que conforman un efímero escudo heráldico.

—No me jodas, ¿ya estamos en 2012?

—Pues sí. En unas semanas, todo a tomar por el culo —dice el camarero, con cierto fatalismo histórico.

—Pero, un momento, yo en los ochenta estuve en el siglo XXI. A ver, ¿no hay coches que vuelan? ¿No hay un presidente negro en Estados Unidos?

—Pues mira, sí, lo último sí. Es así como negro, pero no muy negro, ¿sabes?

—Café con leche.

—Ahora. Pero el resto no es como dices, que yo sepa no, Martín.

—Pues esto no es el futuro. Que yo lo he visto. Esto es una puta mierda. ¿Qué coño haces con la cafetera? Me voy a quedar aquí sentado hasta que llegue el futuro.

—Martín… —pausa flemática—, ¿tus padres ya no te dejan entrar en casa? —El camarero atornilla su índice en la sien y mira a otros dos clientes. Tienen esa tez cetrina, pelo ralo y voz oxidada que impide saber si están en el otoño o en el invierno de sus vidas. Siguen tan anclados en el pasado, que a cada rato se llevan a los labios un Ducados y amagan con encenderlo.

—Que estamos en 2012, que no se puede fumar aquí…

—¿2012? No jodas. En el 80 ya llevaba cuarenta años esperando al futuro. Que no mandaran los de siempre —suelta el cliente enjuto.

—Pues, mira, ya estás en él —contesta el comparsa.

—Pero ¿ahora qué?

—Hombre, es que no tenéis paciencia —apostilla el camarero.

(Adaptación de *Regreso al futuro IV* —*Muchachada Nuí*— y de una viñeta de Perich.)

Hasta hace poco, la comedia mediática tenía el complicado mecanismo de un botijo y la ironía era una especie en extinción: por el 11-S, el 11-M, nuestra (mala) educación y la aparición de los emoticonos. La generación de los ochenta había comprado este concepto de democracia del mismo modo que se aceptan las cincuenta y cinco páginas de condiciones de una aplicación de Apple (¿habremos donado nuestros genitales?).

Ahora el quiosco agoniza, la televisión es un telescopio para mirar al pasado, mientras todo lo nuevo se emite en otras pantallas. Los payasos ya no hacen gracia, a no ser que analicen los dislates de la bolsa.

Con dieciocho billones de dólares en rescates financieros; con un salario mínimo que llegará a los 657 euros; con un humor mediático a imagen de la dialéctica bipartidista de la tertulia política de *La noria*, esa cantina de *Star Wars*; con esos parlamentos de cincuenta y nueve segundos ante micros con disfunción eréctil…, con todo eso, es evidente que muchos no estuvieron en la clase de *Barrio Sésamo* de la izquierda y la derecha, pero sí han visto recientemente cómo ese programa incluía a un personaje desahuciado. Y, lo decía Breton: juegos de palabras cuando son nuestras razones de ser más importantes las que están en juego. Así que el humor, Twitter mediante, se convierte por combustión espontánea en construcción colectiva que es relato y parte de una sociedad regida por el absurdo, el más común de los sentidos.

Los ingeniosos «muchachos» de la pandilla «chanante» iniciaron el deshielo. Forman parte de la generación educada en el civismo, pero lograron sofisticar el humor blanco, modernizándolo formalmente con nuevos referentes y trascendiendo la carcajada. Los que venían detrás se educaron en sus hallazgos y esperaron para verterle ácido, mientras leían filosofía y reían con iracundos *stand ups* estadounidenses, de Richard Pryor a Bill Hicks. Ajenos al ping-pong de la política española y de sus palmeros, hicieron de la comedia algo elástico hasta la ruptura. Las tiradas de 500 ejemplares de *fanzines* no habrían sido el canal, pero la red sí: el humorismo violento, sin el beneplácito de los que lo modulaban con la coartada de la comprensión del espectador y de las leyes del mercado, ha crecido en paralelo (lamentablemente, no siempre mano a mano) al activismo político del 15-M, liberado del bipartidismo.

Sitcoms que jamás se estrenarán en televisión, chistes a miles de manos en Twitter, libros independientes. Y, en medio de este incipiente vergel, el junco que no cae, *El Jueves*, que como eco de otros tiempos nos regaló la enésima prueba del delito: el secuestro de su publicación por colocar en la calle 120.000 dibujos de los príncipes dándose amor *a tergo*.

De repente, un popular humorista escribe un tuit al hilo de la respuesta en las redes sociales (ese pelotón de linchamiento) a una entrevista dócil con la ministra de Cultura: «No pienso aguantar juicios faltones después de veintiún años haciendo programas en libertad». El significado de la palabra libertad para una generación y otra, lo que les hace gracia, evidencia el *catacrocker*.

Al margen del humorismo anónimo, Borja Cobeaga se inspiró para *Vaya semanita* en libros como *Eta gero hau*; Santiago Lorenzo aquilató su discurso en libros como *Los millones*; Carlo Padial mezcla a Louis C. K., Freud y la XBox. El frescor flúor de Vengamonjas y la sátira de *El Mundo Today*; blogs como *La abuela bloguera* o *Canódromo abandonado*; los dibujos de Jonathan Millán y los comentarios de Nacho Vigalondo, las burradas de Pepe Colubi o las puyas de Kiko Amat. Jordi Costa teorizando sobre todo ello como nadie. Son solo algunos ejemplos.

La novela joven, claro, debe rumiar todo esto: en ella, el cinismo suele pasar por inteligencia y cualquier tipo de militancia, por ingenuidad. Algunos aún se creen rebeldes por centrarse en el ataque a las americanas de pana de lo progre, sin percatarse de que ese camino ya lo labraron otros.

Y en Twitter tanta gente disfrazando el avatar de Rajoy en Halloween, creando *hashtags* para imaginar la versión socialdemócrata de chistes clásicos y fomentando debates de ficción en paralelo a la ficción que es un debate electoral. Retuiteando los sarcasmos de @masaenfurecida, el comentarista omnisciente que les va a mostrar su misma piedad, como cantaban Los Planetas. Su rol de espejo plano que algunos interpretan como cóncavo queda demostrado en una de las pocas entrevistas que han concedido. Preguntados por sus razones, contestaron: «¿Qué empuja a un niño a jugar o a un licenciado a trabajar sin contrato?». De modo que el *tuithu-mor* es ahora el laboratorio de una gran minoría que se siente atacada en su inteligencia y asqueada de civismo, que bombardea y sabotea (el caso de *Cheers* solo es un ejemplo). Sin poder atajar sus miles de cabezas, hay quien pretende vampirizar su tono, pero este influirá en gran manera en lo que suceda en una esfera mediática aún por definir. El gran número de víctimas y lo idiota de esta situación así lo exigen. El secreto está en la masa.

La poesía cómica de Miguel Noguera nos brinda una puerta de salida: «Son productos que no necesitan la legitimación de ningún agente cultural y por eso son más ágiles. Tienen más cintura que los girasoles oficiales, giran antes. ¡Girasoles precoces! ¡Girasoles de tallo flexible y engrasado!».

Gracias a Domingo Caballero, Borja Cobeaga, Santiago Lorenzo, Edu Galán, Pepe Colubi, Jordi Costa, Miguel Noguera, Carlo Padial y Daniel López-Valle.

La CT y la igualdad, ese invento del Gobierno

Por Irene García Rubio y Silvia Nanclares

Sabemos ya cuál es la vulgata que sobre la Transición se esfuerza en difundir ese discurso hegemónico que llamamos CT: los españoles, haciendo un ejercicio de madurez política, emprendieron una transición ejemplar hacia la democracia, etcétera. Ese discurso habla de los cambios que se produjeron en lo político-institucional, pero en esos años hubo también una ¿transición? hacia nuevos modelos de convivencia en el terreno personal, familiar, amoroso, sexual... ¿Qué dice la CT sobre todo esto? Cambien «democracia» por «igualdad» y ya tenemos la ecuación resuelta. A la par que demócrata de toda la vida, la población española se vuelve igualitaria y moderna, y en un abrir y cerrar de ojos, de las mesillas de noche desaparecen las biblias y los manuales de la Sección Femenina para ser sustituidos por los informes sexuales de Shere Hite y el último número de *Marie Claire*.

Les presentamos un catálogo incompleto de especímenes genéricos nacidos al calor de la CT. Avalados por los medios y el amplio espectro de la cultura popular, se han ido forjando modelos de unos determinados tipos de masculinidades y feminidades. Como en un encargo con el que soñamos, nos hemos autoempleado para el guión de una serie dramática aún no escrita. Les ofrecemos este inventario de momentos, lugares, citas y personas que acabará mostrándonos una figura algo menos distorsionada que la que ofrecen los grandes cronistas de las tensiones de nuestra particular y superada «guerra de sexos» contemporánea.

SOLDADOS DEL AMOR, DIGAN CONMIGO. Entre esta imagen: 1990, Marta Sánchez moviendo su cucu para los soldados españoles en la primera guerra del Golfo mientras les canta «Soldados del Amor», y esta otra: 2008, Carme Chacón, embarazada, masculinizada y enérgica, espetando a las filas: «Capitán, ¡mande firmes! Y ahora digan conmigo...» en su toma de posesión como ministra de Defensa, distan dieciocho años y dos países distintos. El concierto, grabado y emitido por TVE en pleno pico del arquetipo mujer-póster club de carretera (Samantha Fox, Sabrina), fue todo un acontecimiento del *broadcast* patrio. La segunda imagen dio la vuelta al mundo, alimentando el espíritu «Viva Zapatero» que se respiró hasta mediados de 2007. Algunos de los mismos soldados que en Irak se embrutecieron con Marta Sánchez respondían diecinueve años después al «Firmes» de Chacón. Entre ambas, el arco tensado de una sociedad que lucha por quitarse el polvillo de la dehesa en tiempo récord. Entre la máter seria y respetable y la carnaca fresca subvencionada, entre la madre o la puta, ¿no había más grises? Lo que no cambia en ambos documentos: «Todo por España». Jamás se cuestionan los estamentos, solo se maquillan las representaciones de los mismos. Bienvenidos a bordo.

«HAZTE UN HOMBRE, MARICÓN.» Principios de los noventa. Jesús «Soprano» Gil monologa en un jacuzzi rodeado de chicas en biquini, en ese programa inenarrable llamado *Las noches de tal y tal*, mientras un andrógino Javier Álvarez canta a la insumisión en «Un, dos, tres, cuatro» y muestra que, si existe un macho alfa, también puede haber un macho beta. El horizonte del *Homo hispanicus* había cambiado sustancialmente. ¿Algo se muere en el alma de la masculinidad española? El movimiento de insumisión, las manifestaciones contra la OTAN, el fin de la mili o la retirada de las tropas de Irak son un claro corte de mangas al «los chicos no lloran, tienen que pelear». Los cantantes de OT lloran lagrimones en público y los futbolistas dedican horas a su imagen personal; mientras, seres como Bertín Osborne se han convertido en un acartonado recuerdo de otra época y un antimacho como Chicho Sánchez Ferlosio es reivindicado al calor del 15-M.

Qué alivio, ¿no? Eso sí, tengan cuidado, señores: como se descuiden les acaban vendiendo bonos para el gimnasio y depilaciones de pecho con la excusa.

DE LA LIBERACIÓN SEXUAL AL SEXO EN CADENA. O el trayecto que separa las peregrinaciones a los cines de Perpiñán de la porno de los viernes en Canal+. ¿En qué momento dejó de funcionar el binomio que unía visibilidad de la carne (mayormente femenina) con liberación y progresía? Las ansias de liberación sexual expresadas en los sesenta y setenta se fueron concretando en sucesivas leyes que despenalizan la anticoncepción y el adulterio (1978), legalizan el divorcio (1981) y el aborto (1983), así como la pornografía (1986), pero pronto este estallido de libido colectiva sería reconducido al ámbito privado, para convertirse en un nicho de mercado más de la industria del sexo. Como diría Ñu en su himno «Imperio de paletos», ahora «ya nadie mira una teta en Benidorm». Ahora las vemos en internet. Que queda mejor y nadie nos ve.

ESPERANZA AGUIRRE. La auténtica musa de la Cultura Brunete ha conseguido reinventarse y resurgir de las cenizas varias veces. Aguirre ha agarrado por los cuernos las caricaturas de su imagen pública y las ha usado en su favor. Primer *round*: utilizó la imagen de rubia tonta con la que tuvo que lidiar cuando fue ministra de Cultura con Aznar (eran los tiempos de Espe, la alegre ministra que soltaba gazapos por doquier) para parecer inofensiva e instalarse cómodamente en el poder. Segundo *round*: ya en la presidencia de la Comunidad de Madrid, Espe se revela como una maquiavélica Bruja Avería que no solo es mala, sino que está encantada de serlo; ideal para seducir a un electorado de derechas que añoraba la mano dura que ni Rajoy ni Gallardón les podían proporcionar. Cada vez más sobreactuada e histriónica, Aguirre se ha convertido en la supervillana neoliberal de la política española.

LAS CHICAS DE... Un arquetipo se repite con la irrupción masiva de las mujeres en la vida social y cultural: grupo de chicas dirigidas por un pope masculino. Representación del paternalismo máximo que sustenta la idea de «la mujer» como menor de edad y subsidiaria de un papel preeminente masculino. A saber:

1. CHICAS 1, 2, 3. Durante años, Chicho Ibáñez Serrador nos deleitaba con un programa-casting donde él mismo testaba la catadura de los muslos, la vis cómica o el exotismo de su nuevo grupo de «secretarias». El proxeneta-papá-pitufo Chicho se jactaba de lo sensual y cortito de miras que solía ser su harén. Suerte que a la mañana siguiente nos reprogramaban a todas con *La Bola de Cristal*. Uf.

2. CHICAS HERMIDA. Como una metástasis imparable, Jesús Hermida aterrizó en la virginal matiné televisiva con sus magazines interminables plagados de copresentadoras. Él, atildado e histriónico como solo puede serlo un ex corresponsal, manejaba su orquesta de periodistas como si de un internado de señoritas de posguerra se tratara. Mano dura aquí, pellizcos indulgentes allá, las llamadas al orden y a la compostura femenina dejaban bien claro quién era el director de circo y quiénes eran las fieras.

3. CHICAS ALMODÓVAR. «Yo quiero ser una chica Almodóvar, como la Maura, como Victoria Abril, un poco lista, un poquitín boba.» Así escaneaba Joaquín Sabina este mito cultural reciente. Su enloquecida obsesión por la mujer como cosa/prótesis/icono lleva al director a caer en una reincidente ambivalencia: idolatrándola, cosificándola y encasillándola al mismo tiempo, exterioriza un deliberado y explícito deseo de modernidad cocinado al mismo fuego que un montón de atávicos prejuicios y estereotipos.

LOS YODAS DE LA CT. Más allá del arco iris de los machos alfa CTáceos, hay un estadio natural reservado a los senseis que filosofan a martillazos mientras hacen anuncios para cualquier corporación a mano (las sabias no existen, amén de expertas mediáticas como la doctora Ochoa). Entre ellos, con su identificable aura de pelo fosco y blanco, despunta de entre un mar de neurotransmisores el jedi de la plasticidad cerebral, el divulgador que tornose en sabio por arte de birlibirloque. Con todos ustedes: Eduaaard... ¡Punset! Si la CT elimina tensiones masajeando al poder, digamos que Punset no necesita ni tocarlo. Él le hace reiki a las contradicciones.

Aquí dejamos este misterio irresoluble digno de Iker Jiménez: un personaje con un pasado tan poco zen como Punset —economista en el FMI en una época tan dudosa como 1969-1973— convertido en el Yoda hispano de la ciencia de autoayuda. Otros Yodas del Olimpo: Ferran Adrià o Pep Guardiola, aventajados miembros del banquillo de los incuestionables. Cultura del esfuerzo, talento y carisma. Bien. Cocina, pseudociencia y deporte. Los pilares de la democracia. Suponemos que todo es posible cuando tienes a la Fuerza de tu lado.

SEPARADAS AL NACER. La hermana mayor fue depositada junto a una conocida familia de cineastas; la segunda, en una casa humilde del barrio de San Blas. Cuarenta años después, en la primavera de 2011: Angelines, la mayor, ex guionista mediocre y elegida por ZP como bulldog para llevar a cabo la primera de las maniobras destinadas a torpedear la neutralidad de la red, consigue sacar a la calle en su contra a una gran parte de la ciudadanía. La otra, curtida en burladeros mediáticos, Belén, logra mantener pegada a los televisores a otra gran parte de la misma. Sociedad Broadcast vs. Sociedad P2P. Volvemos (¿seguimos?) con las dos Españas. Mientras una parte importante firma el Manifiesto por los derechos de internet, precuela del 15-M, la otra se dopa en la sobremesa interminable que se cuece en torno a la «princesa del pueblo» (Paolo Vasile no dudó en definirla como «figura inspiradora del 15-M»). ¿Perdón? Esteban y Sinde, ¿heroína y supervillana? Belén ha sido erigida como reina de los parias que accedieron al dinero/fama/visibilidad televisiva. Ángeles representa a la elitocracia cultural con filiaciones con el poder institucional y político. Una salta a la arena desde lo público mientras la otra lo hace desde lo privado. Y aunque muchos de los que odian a Belén aman a Angie, la unidad siempre vence: la España progre-buenista y la chabacanomediática se darán la mano tras las puertas giratorias que conectan los pasillos de Tele 5 y Cuatro. Mientras, *on air*, canal CNN+ es sustituido en la misma frecuencia por GH24h. Todo encaja. Un *cromakey* donde, por fin, la hermana rica y la hermana pobre pueden hacer un buen posado. Fin de la telenovela.

FEMINISMO. El anticristo. No se sabe muy bien en qué momento a estas señoras les empezaron a crecer cuernos mientras despedían un intenso olor a azufre. Como por lo visto daban bastante miedito (y, a veces, la realidad se empeñaba en darles la razón en su intento de aguar la fiesta CT de la igualdad), hubo que asumir algunas de sus demandas. Como una cerveza sin alcohol o una fabada baja en calorías, sacamos de la chistera el término que domestica todos los conflictos. Con ustedes, ¡¡Género!! Esa palabra que no ofende a nadie y ha acabado, a fuerza de abuso, por no significar nada, o ser intercambiable por todas-esas-cosas-que-afectan-a-La-Mujer (por lo visto, solo hay una).

«A MÍ ME GUSTA LA MUJER-MUJER.» Frase que se encuentra entre el top 10 de tautologías aznarianas. Se encarna en Ana Botella, se lee en *Telva* y tuvo su momento culmen en la boda de Ana Aznar y Alejandro Agag. Singular espécimen, la mujer (mujer) exige igualdad, pero sin pasarse; trabaja y hasta puede que participe en política, sí, pero sin dejar de lado lo verdaderamente importante: La Familia (siempre con mayúsculas). Esto de La Familia, por cierto, es una obsesión de las mujeres (mujeres) y hombres (hombres) que sienten la necesidad de salir periódicamente a la calle para recordarnos que solo hay una interpretación posible de La Familia. La mujer (mujer) y La Familia (familia) componen el espejo en el que le gusta mirarse a la progresía de la CT cual madrastra de Blancanieves, ya que le devuelve una imagen complaciente de sí misma, moderna y europea por contraste.

LOS DON DRAPERS DE LA IZQUIERDA. Tener un presidente sexy y poder hablar de ello marcó un hito en la liberación de las mentes de la sociedad reprimida española recién democratizada. «Isidoro», el de los labios carnosos y posteriormente sienes plateadas. Elegancia, *savoir faire*. Felipe, el Don Draper al que todos querían besar (metafóricamente ellos, textualmente ellas). Mito sensual y sentimental solo seguido de cerca por otro mito bastante más digno, ese Banquo apuñalado por Macbeth PRISA, el de Iñaki Gabilondo. Otros machos sexies del fragmento histórico que nos ocupa: los obrero-campesinos como Paco Ibáñez y Raimon; Joaquín Sabina, el macho canalla por fuera, sensible por dentro. Y más tarde, noventas mediante, otros imanes libidinales que brillaron bajo el sol: Jesulín, precursor del neogañán que busca esposa, Alejandro Sanz o el yerno perfecto, o Felipín de Borbón y Grecia, alimentado con mucho Cola-Cao desde la más tierna infancia y que acabaría protagonizando, sin gracia, el guión del amor plebeyo que las monarquías nórdicas ya habían experimentado en los setenta.

MUJER CT EN VIÑETAS. No significa lo mismo ser una mujer buena que ser un hombre bueno. Tampoco estar buenísima da lo mismo, especialmente en las representaciones que la cultura popular genera del gran arquetipo de «las tías buenas». Hasta la llegada de la gloriosa década de los diez para el cómic hecho por mujeres (con honrosas excepciones en los noventa como María Colino), la representación de las mujeres en el cómic de gran tirada, tebeos y revistas de humor gráfico nos muestran sistemáticamente una mujer hipersexualizada (Profesor Cojonciano), idealizada (Mamen), amargada en su rol de sensata lidiadora del macho ibérico (Forges) o si acaso estilizada superheroína punk (Max), por no hablar de las estresadas rubias de Maitena. Autoras de cómic feminista de la Transición como Marika, Nuria Pompeia o Montse Clavé nunca tuvieron mucha difusión más allá del *underground* del *underground*. En la esfera del *mainstream*, el humor gráfico se revela como altamente polarizado y burdamente topiquero en sus representaciones genéricas.

CARME CHACÓN. ¿Es posible gobernar un Ministerio de Defensa como si fuera una ONG? ¿Es compatible el pacifismo con el ejército? ¿Se puede ser madre y ministra sin morir en el intento? ¿El feminismo (institucional) era esto? Según *El País Semanal* todo esto, y más, es posible. En el reportaje «Madre y ministra», Carme Chacón pasa revista a las tropas con firmeza y taconazo; da la teta al niño en el coche oficial mientras visita una unidad del ejército; lidia con rancios oficiales mientras hace planes para cenar en un japonés, y con un paso de baile destierra, ¡alehop!, todo rastro de conflicto y contradicción.

Esos gays inofensivos. ¿Hay cabida en la CT para los gays? Basta con que reúnan las siguientes condiciones: opción a) ser un buen chico, con clase, no estridente, políticamente correcto, en una palabra, contenido (véase Jesús Vázquez); opción b) ser un artista o dedicarse al mundo del espectáculo, en cuyo caso se admiten un mayor grado de pluma y cierta excentricidad (véase Pedro Almodóvar). Contenido o moderadamente desatado, el gay en la CT queda reducido a lo inofensivo o a lo folclóricamente anecdótico. Imágenes tranquilizadoras para no violentar al personal: ¿no será que la periódica proliferación de rumores y chascarrillos sobre la supuesta homosexualidad de personajes públicos habla de la inquietud que generan las prácticas no heterosexuales? Al fin y al cabo, todo aquel que se ha atrevido a llevarlas a cabo sin ocultarlo y a salirse de los límites marcados por la CT ha sido condenado a la marginalidad. De lesbianas, y de la práctica ausencia de bolleras-fuera-del-armario made in Spain, ya ni hablamos.

Las excluidas del gran mercado de la buena chica. «Si te aburren los pajaritos / con su pi, con su pio-pi, / con una escopeta, / Pim-pam-pom, / con un tiragomas, plim, / los mataré, yo / para ti, para ti mi amor / Y te los serviré, fritos / para ti, para ti, mi bien, / fritos en una sartén.» (Vainica Doble, «Coplas del iconoclasta enamorado».)

«Si tú me vienes hablando de amor, / qué dura la vida, cual caballo me guía, / permíteme que te dé mi opinión / Mira imbécil que te den por culo / Me gusta ser una zorra.» (Las Vulpess, «Me gusta ser una zorra».)

Unas punkis de Barakaldo y las mismas señoras que compusieron la sintonía de «Con las manos en la masa» trocearon en los ochenta todo aquello que se esperaba de una buena chica y lo pasaron por la túrmix, sazonado con un par de escupitajos. El brebaje podía resultar un poco indigesto, pero la diversión estaba asegurada.

La tele (basura) como laboratorio de pruebas social. Hay que hacer un ejercicio de memoria disruptiva para imaginarse la vida televisiva antes de *Gran Hermano*. Bajo la batuta de Mercedes Milá, entra a partir de 2000 en nuestras casas una parada de los monstruos que irá abriendo paso a una serie de personajes no representados antes en los *mass media*. Era de ley que esta vanguardia fuera gente «de la calle» sin nada que perder. Parias sacrificados que prefiguran el modelo de trabajador disponible y maleable que el mercado comenzaba a demandar. Pero la máxima de «lo que pasa en GH se queda en GH» se cumplió justo al contrario: los personajes fueron desembarcando como ratas liberadas para quedarse en los aledaños del laboratorio, cumpliendo una función experimental y social necesaria. Por primera vez, lesbianas, transexuales, *queers* o ex prostitutas de a pie tomaron los medios masivos, dinamitando por la vía bajuna muchos modelos genéricos encasilladores. La tele se convierte así en un acelerador de partículas donde fenómenos espinosos pasan, por obra y gracia del tiempo y la textura catódicas, a verse como «normales». Ya se sabe, la ecuación «si ha salido en la tele es real» funciona. La distopía televisiva abre las ventanas hasta del pueblo más pequeño, dando alas a muchos «diferentes», aunque sea camino de la interminable cola de un casting para reinas de basurero. La tele del nuevo siglo era esto.

IGUALDAD SIN PRISA. Juan Cruz, ese rapsoda de la CT, definió en una ocasión a Carmen Romero como «la compañera que sonríe». Ya en los ochenta, Francisco Umbral, embriagado tras una velada en «la bodeguilla», decía de ella que «ha probado que es la más sencilla en la vida española y la más sobriamente elegante en las cancillerías europeas». Carmen Romero y años después su sucesora, Sonsoles Espinosa, han encarnado uno de los arquetipos preferidos de la CT, la Mujer Como Debe Ser, esto es: discreta y sencilla, elegante y atractiva de forma natural, famosa a su pesar, con una carrera profesional interesante, pero no hasta el punto de ensombrecer la de su marido. Resumiendo: señoras, ustedes son estupendas, pero no se salgan del sembrao, que quedan muy bien como elegante complemento de sus hombres. Sonsoles Espinosa y Carmen Romero juntan sus manos y cantan, con la melodía de «Libertad sin ira», Igualdad sin prisa (pero con PRISA). Ay.

FUNDIDO A (ANA) BLANCO. «Ana es una de las mejores comunicadoras de este país. Discreta, absolutamente correcta, prudente, ecuánime...» ¿Quién puede haber soportado cuatro legislaturas del PP-PSOE sin despeinarse una sola de las capas del alisado japonés? ¿Qué tanto no habrá obviado este pequeño robot catódico para haberse convertido en el icono de esa franja horaria en la que el país se detiene y, desde hace casi veinte años, gracias a Ana, todo, durante media hora, está en el sitio de siempre? Ella representa a la buena hija, la profesional que nunca protagonizaría un solo escándalo, ni siquiera una salida de tono, la perfecta invitada a las recepciones de la Zarzuela. Una de esas perlas dóciles pero con credibilidad que el cuarto poder atesora como oro en paño. ¿Habrá vida más allá del planeta Ana Blanco?

DISCURSOS IMPOSIBLES: FAKE-FEMINIST CON MANTILLA. ¡A todas las unidades, a todas las unidades! El feminismo de derechas es un oxímoron. No existe. El PP es al feminismo, ni siquiera el institucional, lo que Marte a la vida: no hay condiciones para que se dé. Dicho esto, repasemos el mito del feminismo de derechas. Tratemos de ser objetivas y analicemos la amalgama formada por el crucifijo y la supuesta lucha por los derechos sociales de las mujeres. Familia y género, «antiabortismo» con paridad, tradición más cuotas. ¡El potaje conceptual del fake-feminismo es incomestible! Es obra de un Victor Frankenstein de primera. Sus dos referentes visibles lo avalan: una Celia Villalobos que devino polémica tertuliana y una Cristina Alberdi que pasó del trotskismo al «pedrojotismo» como la que se bebe una horchata. En el núcleo duro de lo esquizo, late Cospedal con mantilla y al mando de una familia monoparental. Lo siento, pero concluimos: el pseudofeminismo de derechas es y será un Expediente X a estudiar por generaciones futuras.

And now for something completely different... ¿Y ahora, qué? ¿Vendrá el 15-M a cuestionar la lógica de los bandos en pos de una cierta diversidad? ¿Podrá resquebrajar la obsesión por el «resultadismo» para beneficiar a los procesos? ¿Será capaz de escribir colectivamente otras narrativas para dejar atrás las historias unidimensionales de héroes varones esforzados con mujer discreta adjunta? ¿Marcará el fin del reinado de los líderes a favor de la inteligencia colectiva? En otras palabras: ¿dejarán de una vez de medirse las pollas los protagonistas de la cultura y sus cronistas? Ups. Se cortó la conexión.

La CT y yo.
O cómo aprendí a situar los suplementos en su día, fecha, hora, momento

Por Pablo Muñoz

Cuando era joven y tontico (y es muy posible que siga siendo una de las dos cosas), la cultura pasaba siempre en los periódicos, y cuando pensaba en la literatura pensaba en una cosa de la que se hablaba, con seriedad innegable, en los suplementos. Yo, en realidad, empecé a leer libros con seriedad cuando abandoné la búsqueda de la poesía que generara un suspiro, un cliché (un qué bonito, vamos). En todo caso, los suplementos eran serios. La seriedad está en los titulares, vaya. Y en la retórica.

Porque la retórica de los suplementos es importante, alejada de los domingos y sus textos iracundos y sus lugares imprescindibles, la retórica de los suplementos literarios es —ay, madre— una mezcla de poesía y sensación de estar ante un hallazgo muy importante. Hay un ejercicio magnífico y que consiste en leer solamente los titulares. Fijaos:

- El reino indestronable de la novela.
- Realidad incontenida.
- Páginas redondas.
- El silencioso triunfo de la intimidad.
- Perfección sin preparativos.
- Una vida sagrada y profana.

Os juro, os prometo, lo digo sin impostar nada, que estos titulares son de tres de los más importantes suplementos del panorama español. Vamos, que va en serio. Vamos, que no son del mismo autor. ¡Y fijaos en la retórica! Todo parece res-

ponder a un estilo metafórico, lleno de analogías, de pequeñas paradojas. Uno lee estos titulares y percibe: importancia, relevancia, metáfora…, autoridad. Qué digo, música. Una
música apoteósica e hispana: dónde si no vamos a encontrar
una vida más sagrada y profana que en este país aconfesio-
nal. Y de hecho, algo así como una chorrada vacía, fácilmente parodiable, pero para ello cuentan con la autoridad del crítico, que cambia un poco, pero que cumple perfectamente su
papel positivo. No se trata tanto de ser siervo del mercado, o
el drama de los intereses empresariales, que aparecen con
fulgor lógico a ojos de todos, sino de generar una cultura en
la que el único problema sea a cuántos más puede reunirse
en esta fiesta sin fondo. En el reinado del arte inextingui-
ble. Con la perfección insólita. Y lleno de páginas doradas
con el ruidoso fracaso de la mediocridad. Etcétera. Una obra
breve.

¿Lo notáis ya?

No significa *nada*.

Porque lo significa todo.

¿Qué mejor forma de aprender literatura que leer los suplementos literarios? Las reseñas. La retórica empieza en los
titulares. A la publicación de un best seller, un crítico men-
cionó una expresión que merece toda nuestra atención: «Habría hecho las simpatías de Borges». Esta expresión es, casi, la
esencia del suplemento cultural. En el sentido en que es puro
periodismo de declaraciones (podríamos hablar, efectivamente, con candor de los amigos de los autores, que tanto co-
nocían sus gustos, pero es que no son comparativas motiva-
das por ello).

Hay que decir que en el mundo hispano habitan muchos
críticos literarios convencidos de aquello que provocaba risa
y carcajada en Jorge Luis Borges, escritor argentino, de aquello que habría leído admirado o de aquello que habría apoyado indefectible: ¡qué certeza más admirable! Es un paso
más allá del argumento de autoridad: es la fe sentimental, la
erudita (e incomparable) anécdota que, por supuesto, no ha
dejado atrás a Franz Kafka, en cuya ramificación kafkiana
hemos pasado de un entendimiento común a un desenten-

dimiento total hasta el punto de que kafkianos somos todos (o casi).

Hay en los suplementos buenos periodistas. Sería una discreta infamia no mencionarlo. Incluso excelentes periodistas. El problema no recae sobre ellos, ni tampoco sobre los no tan excelentes. El problema está, lo hemos descubierto, en la retórica esencial. Un suplemento se configura, semanalmente, sobre un titular y un grupo de reseñas más o menos laudatorias. Los suplementos presentan siempre una novedad, una gran entrevista. La división es, por supuesto, puramente comercial: habrá semanas dedicadas a grandes lanzamientos extranjeros, lógicamente, y otras en las que se decida lo nacional. Sobre los extranjeros cae el peso de lo anecdótico: exportar debates, tensiones o halagos no tiene el mayor inconveniente. También se exportan, por supuesto, grandes autores con ello y se asume como una parte del asunto literario. Pero en lo nacional empiezan los problemas porque cada suplemento considerará oportuno y distinto destacar un autor diferente. Uno podría descubrir hasta cinco literaturas nacionales, todas ellas españolas, si leyera, durante un tiempo, suplementos españoles. Esto no es un problema. El problema es que ninguna de las cinco literaturas nacionales dispara a la otra. Todas reivindican valores que parecen caber entre sí. O como mucho se toman la cortesía de ignorarse. Incluso alguna referencia velada. Porque el suplemento literario habla, por supuesto, desde el apocalipsis sin participar: «En un panorama dominado por los best sellers, hay que agradecer». ¿Cuántas veces hemos leído esta frase? ¿Y qué hace el autor del texto o el suplemento con el panorama? Neutralidad. Admitir quejas de unos y halagos de otro. Ser un gran, qué preciosidad, hogar en el que todos cabemos. La cultura: la redención del Scrooge intelectual, gruñón y tacaño frente al generoso espíritu de las Navidades pasadas, presentes y futuras: siempre a tope, siempre apocalipsis, siempre «una de las grandes voces de la literatura española», siempre hay lugar para un abrazo o para considerar un best seller una «narración estupenda, de un gran ritmo».

Sin embargo, a veces sucede que se evidencia un poco el proceso. La primera vez que fui consciente de la importancia del suplemento literario fue en 2004. A finales de ese año, el caso llegó a murmullos de los profesores. Con esa (poco admitida) ingenuidad, se asume que el asunto es importante. El asunto llega a las aulas. Lo que ocurrió es sabido, pero aquí va una síntesis: Echevarría reseñó negativamente la nueva novela de Atxaga, último lanzamiento de la editorial Alfaguara (propiedad de PRISA, editora de *El País*), y tras la publicación de su crítica fue cesado, sin posibilidad de réplica en las páginas del diario en el que escribía. El caso planteaba dos interrogantes. El primero, y más importante, es qué significa reseñar en libertad. El segundo, es qué palabra utilizar para lo sucedido. Nadie podría hablar de censura, pues la crítica fue publicada y lo único convenientemente callado fue la indignación posterior del crítico. Tampoco de corrupción pues, hasta el momento, Echevarría había reseñado con total libertad en las páginas del mismo periódico. Pero asentaba un ejemplo peligroso. El ejemplo estaba, precisamente, en que la crítica no pertenecía al crítico, a una autoridad que le labraba esa tribuna, sino al suplemento, es decir, al periódico, que concedía ese espacio de libertad como si se tratara de un Dios piadoso. Que la dirección de dicho diario cambie no importa porque lo que el ejemplo sentó no fue una apocalíptica visión del mundo, sino un pequeño síntoma de una crítica literaria que iba perdiendo relevancia en ese marco, ya de por sí limitado.

Solamente hay dos críticos más que trabajen con regularidad reseñando los terrenos de la literatura nacional. Con regularidad es una manera de decir «sus novedades importantes» sin barreras generacionales: José María Pozuelo Yvancos (*ABCD*) y Juan Antonio Masoliver Ródenas (*La Vanguardia*). Los casos de *El Cultural* y *Babelia* son parecidos, ambos tienen críticos que se dividen sus novedades, sin que exista una tribuna fija que se encarga de hacer un seguimiento a la carrera. *El Cultural* divide sus reseñas, como mínimo, entre Ricardo Senabre y Santos Sanz Villanueva, y *Babelia* hace lo propio con J. Ernesto Ayala-Dip, Winston

Enrique Sabogal o Ana Rodríguez Fischer, por citar unos cuantos.

Las figuras de Pozuelo Yvancos y Masoliver Ródenas se antojan innecesarias. No tanto porque no sean críticos con carreras respetables. Que lo son. No tanto porque su juicio no sea interesante, o porque no hayan trabajado, con ensayos concretos, en ampliar y estudiar el terreno de sus reseñas, que lo han hecho. Su labor se convierte en innecesaria. ¿Cómo prefigurar una necesidad sin operaciones? Y no me refiero a su escritura, no me estoy refiriendo a que sus juicios sean parciales, estoy hablando de que escribir es tener editor. Y público.

Los debates sobre novela política que Pozuelo Yvancos ha sostenido en algunos de sus textos, algunas defensas discutibles que ha hecho también o su seguimiento crítico a los autores emergentes no tienen posibilidad de generar un debate intelectual de altura. La curiosidad de los reseñistas queda, pues, aislada. Aislada en un mar de otras páginas, otras reseñas, otros (mejores y más alegres) piropos que terminan de cerrar la semana. Si hay un autor que renueva el panorama narrativo, a la semana siguiente, es la magia del suplemento con su retórica feliz que puede tocarlo todo y permitir que nada se pudra, habrá otro que «demuestre una sólida habilidad narrativa» y pueda «describir con fuerza todos y cada uno de sus escenarios» y «sea capaz de generar una novela de un encomiable potencial narrativo».

Contrasté mi lectura de los suplementos españoles cuando descubrí los norteamericanos o, por ir un poco más allá, los anglosajones, que, en esencia, no representan la totalidad de un escenario intelectual. Que casi navegan a cuestas de aquel, así que sus piropos, pese a su indudable interés, están siempre negociando con dos ecos: el de la lista de best sellers y el del escenario intelectual. Pero la razón por la que empecé a leerlos es meramente literaria: la literatura que más me interesaba no era la española, sino la norteamericana, es decir, mi segunda lengua no era el catalán (aunque lo entendiera y leyera y hablara), sino el inglés. La bitácora que empecé en 2004, inicialmente como un lugar en el que hablar sola-

mente de películas, empezó a incluir literatura por la lectura
y el descubrimiento de estos autores. No tanto porque no hubiera leído otros grandes libros, sino porque no había leído libros iguales, es decir, libros que hablaran en un código que
me interesara profundamente porque su código se multipli-
caba en la red.

Los proyectos literarios de David Foster Wallace, Don
DeLillo y Thomas Pynchon fueron los principales culpables,
es decir, la lectura de estos autores. Hubo, por supuesto, otros
autores norteamericanos, pero lo que hacen estos lo conside-
ro singular. Para empezar hablaban en unos términos o, más
bien, con unos intereses temáticos que me interesaban: los
efectos del capitalismo, la paranoia, la teoría de la conspira-
ción como relato del subconsciente (colectivo), la cultura pop
como eco deforme o amplificador de cualquier asunto. Un relato de Foster Wallace puede usar el lenguaje de la teoría y la
falsa distancia para explicar algo devastador y emocional, y en
su novela *La broma infinita*, los años no son ya numéricos,
sino que responden al de un anuncio; mientras que un profesor universitario de historia del nazismo asume un drama familiar con una catástrofe nuclear de fondo en *Ruido de fondo,*
de DeLillo, y el be-bop y la célebre leyenda urbana de las la-
gartijas en las cloacas de Nueva York se juntan en *V.* de Thomas Pynchon. En estas novelas había algo que no había leído
antes en literatura y cuya peculiaridad, además, era debatida
en los suplementos. Podría incluir también el trabajo de J. G.
Ballard o el de Chuck Palahniuk, pero fueron estos tres autores los que generaron mi interés en el funcionamiento de los
suplementos y de las redes sociales literarias anglosajonas,
es decir, mi conciencia de que la crítica podía ser útil, podía
trazar mapas y podía generar debates interesantes. Además, en la crítica no terminaban nunca estos libros; tanto
The Howling Fantods! (*www.thehowlingfantods.com*), Pyn-
chonwiki (*http://pynchonwiki.com*) o The Modern World
(*www.themodernworld.com*) proponían una modalidad muy
singular de *fansite* que no estaba exactamente marcada por la
retórica de adoración y fidelidad, sino por un sentido enciclopédico perfecto para la escritura de un blog, perfecto para una

lectura, es decir, una relectura con las nuevas claves que podían encontrarse en internet y con ello continuar la escritura,
también inmediata, del blog. La literatura se expandía, sobre
todo conceptualmente: todas las bromas eruditas de Pynchon
eran ahora comprensibles, también las referencias más esqui-
vas a la cultura popular (ya sea una frase de un programa televisivo o un guiño cinematográfico), pero también sus textos
de juventud, sus primeros relatos o su crítica literaria, como su
alabanza a *El amor en los tiempos del cólera*. Las claves de estos autores no estaban en sus libros, sino que ocupaban todo
un escenario que no empezaba (ni terminaba, de hecho) en
los suplementos.

Así descubrí las peculiaridades de los suplementos estadounidenses. Las reseñas de *The New York Times Sunday
Book Review* no son todo el panorama, como tampoco lo son
las de los suplementos de, pongamos, *The Washington Post* o
The Wall Street Journal. El sistema de *The Times* es higiénico,
podemos decir que el suplemento, como tal, llega a su cima
con el sistema de *The New York Times*. A la cima higiénica,
claro. La directora del periódico puede alegar que el exceso
de reseñas increíblemente positivas se debe, claro está, al entusiasmo del reseñista. El reseñista no es un sujeto, sino de-
masiados. ¡Qué hacer ante tanto entusiasmo! Suponemos que
compartirlo. No queda otra. Esa es, parece ser, la solución del
mejor suplemento literario. Compartir entusiasmos. Con muchas personas. La cultura española ha tomado una ruta similar pero todavía mayor: compartir entusiasmos. Con muchos
suplementos. Todos a la vez. Muy fuerte. *The Times* emplea
tres páginas para permitir a su reseñista el entusiasmo desa-
forado. Una página o dos bastan al español para resumir el
entusiasmo sin que exista una reseña con espacio suficiente
para comentar los pormenores estilísticos o narrativos de un
libro del año. Basta con compartir el entusiasmo. Volver a la
retórica, etcétera.

El panorama lo confirman, claro, las revistas culturales.
Las revistas culturales son, por ejemplo, *The New Republic* y
The New Yorker. Pero también, y sobre todo, *The New York
Review of Books*. En todo caso, no hay equivalencia españo-

la. No hay, por hacer un lamento directamente impotente, un equivalente a la revista *Time*, esa revista que nos dice qué ver y qué leer, e incluso qué comentar. Pero no la hay porque esa labor, en España, es de los suplementos. Siempre. Sin más.

Hay, por supuesto, opacidad en la elección de los libros del año, pero en última instancia el medio no define al crítico, es decir, no importa la lectura de ese medio para buscar una opinión válida, importa quién es el crítico en plantilla de tal medio. El caso más ejemplar es, seguramente, el de James Wood, el crítico inglés que empezó su carrera en las páginas de *The Guardian*. Después combinó su labor en el periódico británico con la de escribir en *The New Republic* como reseñista principal. Ahora es crítico literario en *The New Yorker*.

Lo interesante del caso de Wood, por citar uno, es que su autoridad no parece condicionada por los medios para los que escribe. Importan, por supuesto, el número de libros que reseña, la frecuencia de la escritura, la extensión. Pero Wood ha generado un debate estético. Lo han generado sus textos primero, publicados en diversos medios, y sus libros después, que recogen y amplían muchos de estos textos o los exploran. Es decir, Wood es un crítico literario impensable en el marco de la CT porque su trabajo se realiza desde la discusión intelectual y desde un panorama que no empieza (ni acaba) en los suplementos.

Podrá argumentarse que los ejemplos citados constituyen una ausencia elemental en la CT: las revistas en las que la crítica literaria ocupa un papel elemental no son revistas literarias. Incluso las que lo son no son exclusivamente literarias. La crítica literaria se pone al mismo nivel de, por ejemplo, la crónica y los textos de ficción. La segunda oportunidad o el segundo contacto con los suplementos ocurrió con la recepción mediática de un nuevo grupo de escritores españoles a finales de la década pasada. Su identificación no ocurrió hasta que los suplementos les pusieron un apodo reduccionista (generación Nocilla) y su aparición dio paso a un lógico cambio de su inicio independiente a editoriales más o menos consagradas. El problema ejemplifica la esencia de los suplementos: tres años después la irrupción de esos escritores ha quedado reducida a un mero salto de página editorial, fallido proyecto, cosa del pasado, en todo caso la rutina de la novedad continúa, por supuesto, de la mano de los suplementos.

Pero ¿qué problema causó esa generación de escritores y cuál fue la solución? La solución fue adaptar el problema a la retórica. En una reseña de *Nocilla Experience*, se lee que es una obra que «abre indudables expectativas en el terreno de la narración». ¿Os suena? Ah, sí, es la bella retórica de los suplementos, esa en la que todo está lleno de promesas, expectativas, bondad, solidez. Todos valores metafóricos, pero ninguno en contraste con un estilo realmente radical. En la CT, lo que pueda ser conflicto, es prometedor. Y lo que pueda ser ruptura, no es ruptura porque, de nuevo, la literatura española pierde el vigor del conflicto, del debate. El debate de la generación Nocilla fue una oposición al realismo y una especie de vindicación de lo «afterpop», término utilizado por el ensayista Eloy Fernández Porta para indicar la superación de la cultura popular y de un marco jerárquico, digamos, convencional sobre alta y baja cultura. La lectura que se hizo fue una lectura similar a la de moda: incorporar medios de expresión más o menos digitales como rasgo inconfundiblemente novedoso. ¿Qué relevancia tiene escribir un blog más allá de que exista la muerte de los medios de comunicación tradicionales? Escribir un blog no es un hecho; es el discurso el que golpea y ese discurso puede ir desde un blog de anotaciones personales (algo irrelevante en la forma) hasta algo ambicioso, como un blog de crítica literaria lleno de escritura más o menos académica. El conflicto generacional fue eso: un titular estupendo. Después, nada, la solidez. Los grandes valores (en alza) de los suplementos españoles: no hubo enfrentamiento, pero sí estrechamiento de manos, incluso alguna que otra «polémica lista» y todas esas cosas que pasan sin ocupar otro espacio mayor. Lo que significa que las listas polémicas han encontrado una normalidad en los titulares que las convierte en inofensivas.

El otro espacio, un elemento importante para la recepción de la nueva generación literaria, son los blogs literarios. La alternativa a los suplementos literarios son los blogs. Los blogs tienen una tentación obvia: entrar en el debate de los suplementos. Si todo el panorama se configura en suplementos, ¿acaso no es razonable entrar a discutir aquello de lo que se habla?

¿Son los blogs literarios capaces de generar libros del año más allá de los libros del año? Pero la pregunta esencial es: ¿libros del año? La propuesta de los suplementos, reducir el año a una lista de imprescindibles, de guía, es interesante si asumimos la lista como método de expresión sintética de una idea o de una poética. Como defensa, visceral, de una postura. Pero si asumimos la lista como algo más, es decir, como la única manera de leer y entender una cultura, entonces la cultura está muerta, porque una cultura en la que solamente quedan, *horreur*, cosas imprescindibles que hacer, solo citas obligadas, no existe la obligación de pensar (otra vez) cosas tan complejas como tradición, presente y futuro, es decir, ¿qué sería de la literatura sin las labores de rescate, de vindicación, de lectura en marcha? En pocas palabras, ¿para leer a, no sé, Mercedes Soriano hay que esperar a que una gran editorial haga una reedición y un suplemento le dé una portada? «El gran tesoro de las letras españolas», «un arte oculto pero inmortal» y suena la musiquilla y todos contentos, un sonoro «descubrimiento», un «regreso por todo lo alto». ¿Eso significa que los blogs literarios, en una época en la que aparecen e-books de, sorpresón, filosofía francesa chiflada y autores olvidados, son incapaces de iniciar relecturas en marcha? ¿Qué nos dice eso sobre la manera en que leemos? Que leemos mediados, sí. Pero también que en esa lectura mediada hay cosas que todavía pesan más que otras: el ruido de un tag frente al ruido (solitario, incluso no muy alto) de un blog.

El problema, podría decirse, es el mismo: no existe un panorama literario. Todo lo que ocurra de novedoso quedará, por supuesto, vibrando hasta la siguiente semana. Y la siguiente. Y el recuento, glorioso y épico en listados, de libros del año.

Y así se cierra el año literario.

Con estas noticias.

El lamento de que todo lo que puede hacerse con la cultura es un enunciado, un titular si queremos, y que toda la gestión del conflicto pasa por esperar al siguiente sábado, a ver qué libros se llevan la bendición. En este espacio, en las páginas y páginas de los suplementos, incluso un eructo puede pasar por un redoble intenso, por una llamada a la acción.

Pero no os preocupéis: la semana que viene, el fértil terreno de la aridez artística.

Las noches radiantes de un escritor infame. La informal batalla de los titulares intercambiables.

Etcétera.

CT: ¿para olvidar qué olvido?

Por Belén Gopegui

Empezamos a escribir porque no podía ser que una tarde fuese solamente una tarde, azul o lluviosa, porque nos creíamos capaces de encontrar la clave para hacer aparecer los recuerdos, los muertos, lo vivo, lo posible. Mejor teclea tu número en el cajero automático, pero no es eso. No había Ikea, los domingos cerraban los centros comerciales y mientras se hacía de noche habríamos dado nuestro brazo derecho por una página definitiva. Nadie nos preguntaba si la literatura podía cambiar la realidad y cuando lo hacían, respondíamos: «La escritura puede hacer otra realidad». Pero escribíamos y la realidad no cambiaba. «¿Por qué la vida es tan chapucera?», era 1992, Eloy Tizón, *Velocidad de los jardines*. Y ahí estaba la CT, el único hábitat cultural que se nos ofrecía, el único realmente existente. Para publicar libros y contestar entrevistas, escribir artículos y colaboraciones, para participar en viajes, charlas, eventos, para entrar en la Cultura de la Transición había un requisito principal: no tener ninguna duda de que merecías estar ahí. Luego vino L'Oréal, porque tú lo vales, y sí, era exactamente eso, la Cultura de la Transición lo valía, todos los que formaban parte de la CT literaria lo valían y prometían llevarse bien unos con otros. Lo llamaban eclecticismo, comparándolo con un tiempo remoto en que experimentalistas y realistas en la pelea podían llegar a las manos. Hasta que, borrón y cuenta nueva, reinó la paz y la alegría, las distintas corrientes aprendieron a convivir pero, si las leías despacio, resultaba que no eran tan distintas, puede que los mundos narrados lo fueran, pero el tono de las obras coincidía: arrullar y adivinar el gusto del interlocutor sin preguntarse lo que ese gusto significaba.

Fuimos CT aunque también nos fuimos escurriendo, como si algo nos avisara, como si por haber llegado unos años más tarde que los auténticos CT, pongamos Muñoz Molina, Javier Marías, Félix de Azúa, Juan José Millás, Rosa Montero, etcétera, hubiéramos conseguido mantener el rescoldo de una duda, ¿y si escribir no era eso, y si la Cultura de la Transición estaba tan hipertrofiada que los gestos de rechazo, llevar la contraria a nuestros anfitriones, no aceptar los temas y estilos recomendados, no aplaudir, nunca llegaban a compensar los síes continuados: una colaboración, un prólogo, una charla en un instituto Cervantes? ¿Y qué tenía de malo una charla en un instituto Cervantes? ¿Acaso no valía la infinitésima parte de lo que suponía ganar, por ejemplo, el Premio Planeta, u ocupar una página satinada en el EPS? Pero no era cuestión de partes, sino de sospecha. ¿Qué había hecho la CT para ser recompensada con bolos, cócteles, comidas, premios sustanciosos, subvenciones, reconocimiento y ocupación de todo el espacio? ¿Cuál había sido su hazaña? Pequeña instrucción encontrada en *La máscara de Dimitrios*, de Eric Ambler: para corromper al personaje, un funcionario del Ministerio de Defensa, primero se le pide que haga algo que no tiene ningún valor, entregar unos datos que están al alcance de cualquiera. El funcionario los da, sabe que son irrelevantes, que le están pagando por su trabajo más de lo que vale, pero acepta el dinero intuyendo que no le pagan por lo que ha hecho, sino por lo que en algún momento tendrá que hacer o dejar de hacer. ¿Por qué pagaban a la CT? ¿Para olvidar qué olvido? ¿Para defender al PSOE? ¿Para mecer con cuentos la cuna de la democracia? ¿Para acompañar una gesta que no podíamos admirar de ningún modo, un pacto acobardado, un regocijo como de niños y niñas a quienes los enigmáticos poderes fácticos dejan salir al recreo?

Tratamos de saber si había una forma de quedarse y no aceptar. Porque en aquellos días —y la pregunta es si aún ahora— no existía literatura española al margen de la CT. Existía solo un completamente fuera, un lugar muy frío donde no había CT, pero tampoco C, no se estaba en la cuadra de ninguna editorial conocida ni había ningún escritor «consagrado» que te tuviera en su lista, y no se ganaban premios ni amañados ni de los otros, ni se aparecía en periódicos, ni se viajaba invitado, ni se daba clase en talleres, ni charlas en bibliotecas, festivales, ni se traducían tus libros, y si acaso se publicaban, no los leía nadie, y nadie sabía tu nombre. Así que seguimos dentro, ligeramente esquinados, con el cuello del abrigo subido sabiendo que en cualquier momento nos expulsarían, preguntándonos si tenían sentido los caballos de Troya, los CT dentro de la CT. Cuando mirábamos hacia atrás, debíamos mirar muy muy atrás, hacia eso que habían llamado novela social, sin olvidar que quienes se arrogaban el poder de bautizarla eran los enemigos de esa novela, nuestros anfitriones. Pero ¿y después? ¿Dónde habían estado las novelas cuando se hizo la reconversión industrial, cuando Cicatriz, Eskorbuto, Kortatu, RIP..., La Polla Records?

Delincuencia: Delincuencia, delincuencia es la vuestra. / ¡Asquerosos!, delincuencia es la vuestra / vosotros hacéis la ley. / Explotadores profesionales / delincuencia es todo aquello / que os puede quitar el chollo / que os puede quitar el chollo. Mientras en 1984 La Polla cantaba en algún garito probablemente Muñoz Molina escribía *Beatus Ille, Feliz aquel*, publicado en 1986, el año De Salida No de la OTAN, y la literatura, feliz ella, siguió queriendo decir literatura: no me vengas con literatura, palabrería, no sigas contándome cuentos. Había excepciones que probaban que la regla era falsa, pero eran excepciones en libros que pocos leían y, dentro de esos libros, enterradas bajo todo el peso de «lo literario»: editorial Legasa, 1981, *El jardín vacío*, de Juan José Millás, sí, Millás. Una historia de rencor personal, solitario, muy poco político que, sin embargo, transmitía la desolación salvaje de la continuidad: el franquismo no se había ido: «Todo se va cumpliendo; mira el día: emputecida ya su luz arroja sombras y jadea como un pulmón infecto. [...] Todo se ha de cumplir. ¿Recuerdas aquel adolescente lucífugo y delgado que desde las ventanas contemplaba el mundo? Míralo ahora: es ese hombre de edad media y barba de dos días que re-

corre la calle como tocado por un mal superior. [...] ¿Qué se
ha cumplido en él? Se ha cumplido el quebranto que anun-
ciaba su manera de andar; la cobardía largamente ensayada
en el colegio; la execración también allí iniciada por sus edu-
cadores; el encono y la envidia. Envilecido marcha por la
vida, y hasta tal punto la violencia de los otros ha obrado sobre él que no medita soluciones a tanta humillación». Solo es
un personaje, pero si alguien uniera esa voz a la trayectoria
del también personaje, público, Juan José Millás —el ser de
carne no entra en esta clase de textos— diría: encontró, como
la misma Cultura de la Transición, una forma privada de ven-
garse, una solución individual —un conjunto de soluciones
individuales— a tanta humillación, al quebranto, el encono y
la venganza; si no puedes vencerlos, únete a ellos.

   Y ¿quiénes eran ellos? ¿Había dos ellos? ¿Podía legiti-
marse cierta cultura «socialdemócrata» en la lucha contra «la
derecha»? Parece que no, en la medida en que una socialdemocracia consentida y una cultura que le bailaba el agua de-
sembocan con naturalidad en el refrendo a la derecha tradicional tanto por los votos, por un sistema electoral que el
PSOE eligió mantener, como por unas estructuras que el PSOE
deja prácticamente intactas. También parece que en la literatura de la CT predominó lo inocuo, bonitas narraciones sin
capacidad de asentar otra cosa que lo que ya estaba asentado.
Dijo Malraux que *La educación sentimental* era unas *Ilusiones perdidas* «cuyo autor no creyera ya en la ambición», y si
miramos desde lejos la literatura de la CT, eso es lo que encontramos, un conjunto de autores y autoras que, no cre-
yendo en la ambición, en este caso literaria, no cree tampoco
en el sentido de escribir historias que puedan confortarnos
precisamente porque nos confrontan, que puedan acompa-
ñarnos precisamente porque no sonríen obsequiosas ni simu-
lan darnos la razón. «La burguesía que en la historia, en la filosofía, en la política, se había negado a ser realista, aferrada
a su costumbre y a su principio de idealizar o disfrazar sus
móviles, no podía ser realista en la literatura», resumía José
Carlos Mariátegui; bien sé que es una cita, un vocabulario y
un autor nada CT. Quizá de eso se ha tratado a veces, de ver

qué no se traga la CT, qué le indigesta, ante qué manotea molesta y preocupada. Ser realista en literatura no consiste en describir, como diríamos hace Vila-Matas, las tonalidades de una superficie y las evocaciones y referencias que contiene, sino en describir, también, las presiones que mantienen su forma o se la quitan.

¿De qué trató, o trata todavía, la literatura de la CT?

Cuenta a menudo la historia de un país donde los buenos habían perdido la guerra y un buen día, con las manos limpias de la derrota y las arcas llenas de haber pactado, llegaron al poder. Lo mejor era que se podía ser perdedor y ganador al mismo tiempo, ser perdedor sin la humillación, sin la acusación de estupidez y cobardía, sin la certeza de la sumisión ni la necesidad de romper la baraja que asaltan al perdedor. Ser ganador sin la desfachatez antiestética del vencedor, sin su falta de legitimidad y su violencia, sin la conciencia de estar pisando los sueños de nadie. La burguesía siguió idealizando sus móviles, otorgándose la capacidad de perdonarse a sí misma por boca de un perdedor con alma de Laszlo y cuerpo de Humphrey Bogart, se quedó con Casablanca y con París, sentimentalizó —*Soldados de Salamina*— una reconciliación donde los perdedores salvan a los ganadores porque, al fin y al cabo, son los mismos, porque los que de verdad perdieron, donde quiera que estuviesen, no tenían la paz ni la palabra.

Y aunque creemos que escribir novelas es colocar algunas palabras dentro de una historia para ver su significado, se escribieron muchas novelas que usaban las historias para ocultar sentidos, para no ver. Fue así como la narrativa española se reencontró con un público que, parafraseando a un lejanísimo Pablo Guerrero, podría haberle cantado: «Diré que es estupendo sentirte tan cercana / y que ni en ti, ni en mí, ni en vosotros ni en ellos / hay sumergida una ciudad donde luchan». La literatura había seguido los pasos de *La clave* a *Qué grande es el cine*. En *La clave*, viejo programa de TVE, se proyectaban películas y después se hablaba, no llegaremos a decir se debatía, de lo que contaban esas películas, pongamos *La naranja mecánica*, de Kubrick, para dilucidar la cuestión penal. Lo sustituyó *Qué grande es el cine*, donde ponían películas para, en la típica recursividad de la CT, hablar de las propias películas, de lo buenas que eran, de la biografía de sus directores, de en qué otras películas habían trabajado sus actores y de cómo ese plano en que la actriz se asoma a un precipicio era un homenaje, un guiño al plano de aquella otra película donde otra actriz se asoma a la barandilla de un barco en movimiento. Se pasó de cierta, bien que diluida y muy fugaz, necesidad de entender lo que había fuera, al debate endogmámico y complaciente.

En algún momento llegaron los ordenadores. Al principio la conexión de la pantalla era tan imaginaria como la del papel: un teclado, impulsos eléctricos y una persona completamente sola en su habitación. Luego vino internet y hoy, incluso con los navegadores apagados, la conexión habita el aire y una realidad constantemente retransmitida forma parte de la respiración; no es un marco, son ondas que interaccionan, quienes en la CT literaria se niegan a verlas existen en ellas y entre ellas de todos modos. Internet ha aumentado la movilidad social porque el nivel de inversión para montar un negocio contando con la red es, o puede ser, menor; también para montar un negocio cultural. Siguen haciendo falta ritos de paso, pero no tantos. Mientras dure la neutralidad de la red cualquier voz puede, en teoría, abrirse camino, y parece que todas valen lo mismo si bien en el mundillo literario y de momento lo que se ha ampliado es el ojo de aguja; ya no es tan estrecho, hay más personas que pueden atravesarlo, algunas incluso pueden generar capital a partir de la fama lograda por su voz. La gran mayoría, no obstante, sigue necesitando dos cosas: el refrendo posterior del capital externo en algún punto de su trayectoria y un discurso que no disuene demasiado. Miguel, Olmos, Sierra, representando tres generaciones literarias cuentan que ya no necesitan leer los suplementos y que, si hay algo interesante, el enlace le llegará, pues lo enlazable muchas veces sigue procediendo de los medios masivos bien que seleccionado de otro modo. Hablan en foros[1] a los

---

1. *http://www.circulobellasartes.com/mt_visor.php?id=7568*

que acudo, en los que también tomo la palabra y que tienen lugar con el patrocinio de Telefónica, Loewe, Iberdrola, Repsol. Es solo un ejemplo repetido en diferentes ámbitos: internet ha arañado el papel del capital como gendarme de la CT literaria, pero, por ahora, no lo ha transformado. Tampoco los discursos disonantes se han convertido en literatura. Lo disonante no es lo políticamente incorrecto, la incorrecta masa enfurecida deviene en correcta, y el correcto decir socios y socias enfurece. Pero lo disonante es otra cosa: una consonancia lejana que se acerca con peligro, la invocación a unas reglas del juego diferentes cuando salen de lo verbal y pueden hacerse efectivas.

Distingo aquí, como a lo largo del texto, el mundillo literario de la conversación general porque la literatura española va, de momento, con retraso, y ni la desacralización ni la rabia ni el anonimato ni lo colectivo se han abierto camino en un mundo marcado, y mercado, por la autoría, la academia, la tradición, el género. La escritura se renueva en algunos blogs, hay destellos en Twitter, propuestas variadas en las redes sociales, pero con respecto al mundillo ocupan un limbo raro, a la espera del reconocimiento oficial. Mientras que la red ha ampliado capacidad de intervención en los asuntos públicos, en literatura esto casi siempre se reduce a un aumento del número de personas que interviene en la conversación. Caso típico: el autor busca su nombre y encuentra referencias feroces, sarcásticas, atinadas, justas, aduladoras, interesadas, interesantes. Cualquier autor ve lo que esa persona desconocida o esa voz cuya identidad es solo un avatar sin referencias ha pensado mientras leía su libro. No suelen, sin embargo, los autores entrar a rebatir a, pongamos, blogueros que no hayan recibido la sanción de la CT, y a menudo esos o esas blogueras hablan buscando un lugar bajo el sol, compartiendo categorías de la Cultura aun cuando difieran en los nombres a quienes se las aplican. Algunas excepciones prueban que esta regla es falsa: se encuentran textos intrépidos, discusiones libres del discursillo dominante y ese «sentido enciclopédico perfecto para la escritura de un blog» que señala Pablo Muñoz y que él sitúa en un tipo de «*fansite* no marcado por la retórica, exactamente, de adoración y fidelidad», a menudo anglosajón. Son desvíos, rodeos con interés, pero que hasta el momento no han logrado, o no han pretendido, romper las paredes de la CT literaria. Decimos romper y no abrir, porque cuando las puertas se han entreabierto ha sido para dejar pasar a alguna de esas voces, cooptándolas, diluyéndolas una vez más. Por eso las esquinadas, los esquinados, tendremos que dar las gracias a los representantes oficiales de la CT que nos decían «el que mire fuera, se va fuera», que nos echaron mientras nos íbamos, o puede que algunos digan que fue al revés, nos fuimos porque nos echaron, pero quizá cada vez que volvíamos había algo de fuera que podíamos contar.

Añora Pablo Muñoz en su texto la discusión intelectual: «Wood», dice, «es un crítico literario impensable en el marco de la CT porque su trabajo se realiza desde la discusión intelectual». Y concluye hacia el final: «No existe un panorama literario. Todo lo que ocurra de novedoso quedará, por supuesto, vibrando hasta la siguiente semana. Y la siguiente». No habiendo panorama literario fruto de una discusión real donde se hayan roto las barandas del puente, las diferencias dentro del mundillo siguen pareciéndose a cosas como esta: quienes cuentan historias frente a quienes trabajan el lenguaje, supuestos virtuosos en el dominio de un conjunto de técnicas, la metáfora, la intriga, la ironía, y quienes los acusan de no serlo tanto o de no serlo en absoluto, los damnificados por Ignacio Echevarría y los reconocidos, los ideológicos explícitos y los ideológicos implícitos, los Nocilla y los de vuelta de todo, los artísticamente políticos y los políticamente artísticos, los que desean ser comprados y lo dicen, y los que también lo desean, pero se hacen los interesantes. No hay argumentos, sino un baile de calificaciones que casi siempre devienen intercambiables pues quien las adjudica, o se las adjudica, a menudo solo ensaya una estrategia de distinción para evitar ser arrinconado en nichos de mercado y alrededores demasiado pequeños, o para hacer prospecciones en posibles nichos aún por descubrir. Mercado de ejemplares y mercado de actividades culturales, territorios ambos que pueden sumarse pero no oponerse, esto es, puede haber charlas, listas, mundillo, sin ventas, y puede haber ventas sin charlas ni clasificaciones, pero lo que hasta ahora apenas hay es mercado —sí, en cambio, economía del don— fuera de la CT.

No sé si es cierto que la CT se ha terminado y que, como las mesas sin sillas puestas en la calle donde la gente fuma de pie a pesar del frío, pero también como las plazas y los hoteles tomados, por fin hay algo fuera, un sitio desde donde empezar. Dice Amador Fernández-Savater que ha aparecido un nuevo sujeto no identitario. Luis Moreno-Caballud, activista y profesor en Pennsylvania, cuenta:[2] «En EE.UU., los que nos desprecian por participar en el movimiento Occupy nos pueden insultar diciéndonos no solo "Get a job!", sino incluso "Get a life!", [...] la vida no es algo que se tenga simplemente por el hecho de estar vivo, sino algo que, como todo lo demás, hay que conseguir —comprar—, en la lucha de todos contra todos». Rechazar la obligación de tener una vida y, por lo tanto, una cultura, y evitar que el enemigo, sea este identitario o no, encuadre al movimiento, lo limite. Dentro del mismo impulso, no obstante, Paral·lel Accelerat sitúa la canción «Clase obrera (dónde está, la, la, la)» en el BandCamp de la fundación Robo,[3] proyecto musical de 2011: «La clase obrera, ¿dónde se ha metido? / La clase obrera ha desaparecido. / La clase obrera nunca ha existido. [...] En los H&M solo hay clase media. / Las medias jornadas son de clase media. / En la cola del paro solo hay clase media. / Yo era el primero de mi clase / y ahora estoy a punto de ponerme una media en la cabeza». Son dos actitudes distintas aunque se comunican. Interpelar los malestares comunes y esquivar las obligaciones de la identidad no impide admitir a quienes tienen grabada en su piel si no las identidades, sí las posiciones de obrero, explotado, transgénero..., y afirman que es preciso desactivar el poder de oprimir inscrito a su vez en posiciones sí identifica-

2. *http://www.diagonalperiodico.net/Occupy-Everything-identidades-en.html*

3. *http://esunrobo.bandcamp.com/track/clase-obrera-d-nde-est-la-la-la*

das, vistosas y materiales. Moverse ahora y no para llegar adonde ya había otros, sino para acabar con las batallas que nos eligieron sin preguntar. Según la CT este debate no tiene nada que ver con escribir novelas; sin embargo, algunas personas pensamos que es lo más literario que ha pasado en los últimos cuarenta años; «no se me ocurre un modo más honesto de explicar problemas personales», dice[4] Roberto Herreros, «que escribir sobre conflictos colectivos».

Ahora las tardes siguen, azules o lluviosas, las estaciones cambian la luz del 15-M y en los despachos de varias empresas aseguran que en el fondo no ha pasado nada político, que los títulos de propiedad son los mismos y que solo estamos viendo las consecuencias de una reestructuración del capital: se reducen las cantidades de la sopa boba de la CT, se acelera la lucha por un trozo de mercado entre quienes escriben, los que detentan el excedente continúan empeñando su palabra en legitimar el orden que se lo da. «El cerebro se aquieta y descansa sobre la mullida almohada de lo conocido. No cuestionar y no reflexionar. Decir lo primero que se viene a la cabeza, caminar sobre la marca de las huellas, que los pensamientos recorran el mismo lecho, que no se bifurquen [...]. El cinismo como reemplazo de la inteligencia. La destrucción masiva de una idea por el simple placer de ver las cosas desmoronarse, de verlas explotar en colores», describe Perro que ladra[5] en un blog[6] argentino y nos resulta familiar. Pero escribamos como si la literatura pudiera hacer otra realidad, la realidad que hará otra literatura.

4. *http://www.rebelion.org/noticia.php?id=132494*
5. *http://soltandomonos.wordpress.com/*
6. *http://www.tomashotel.com.ar/archives/5673*

Apéndices

Los titulares más escalofriantes de la Cultura de la Transición. La verdad está ahí fuera

Por Carlos Prieto

Este artículo es fruto de un descubrimiento inaudito: un búnker subterráneo situado junto al Palacio de la Moncloa que oculta una gigantesca hemeroteca alternativa de los últimos treinta años. Páginas y más páginas escritas por los mejores profesionales del periodismo español que nunca se publicaron por temor a una insurrección pública. La polémica está servida. ¿Hemos vivido un engaño masivo? ¿Qué se esconde detrás de las máscaras de Victoria Prego, Juan Luis Cebrián y Pedro J. Ramírez? Queremos saber.

1982
El PSOE firma un pacto de legislatura con la Movida.

1983
Felipe González y Alfonso Guerra desfilarán con abanicos por la pasarela del *Azor* para presentar la colección Fiesta de la Democracia. «Transición, liberalismo, Locomía», resumía eufórico Gónzalez.

1984
Barrionuevo ficha de asesor a Chuck Norris para «pacificar las vascongadas».

1985
Morán vende un millón de cintas de *Maastricht, la crisis de la deuda y la madre que me parió*, antología con sus mejores chistes proféticos sobre la CEE.

1986
Ansón muere desnucado tras hacerle una extenuante mamada periodística al general Rodríguez Galindo.

1987
El jurado del Planeta gana el Premio Nacional de Teatro por su trayectoria.

1988
Interviú publicará las polémicas fotos de Solchaga y Thatcher practicando la postura del escorpión. «Solo somos amigos», desmintió el ministro de Economía. «Carlitos hace todo lo que le ordeno», matizó la Dama de Hierro.

1989
Miguel Boyer se casa con su chacha filipina.

1990
Muere narcotizado tras ingerir tres libros de Javier Marías.

1991
Supervivientes expulsa a Roldán, Perote y Paesa por montar una orgía con las nativas.

1992
Final del Campeonato del Mundo de Parques Temáticos: España, 4-Disneylandia, 0.

1993
Cobi y Curro hallados fumando crack en un polígono industrial.

1994
El Tribunal Penal Internacional juzgará a Calatrava por crímenes contra la humanidad.

1995
Nacho Cano grabará un disco benéfico para ayudar a las víctimas de su carrera en solitario

1996
Aznar prohibirá el uso de las palabras chancleta, saeta y seta por «pertenecer al entorno de ETA».

1997
Una egoglucemia fulmina a Sánchez Dragó durante la presentación de sus memorias *Porros neoliberales de pachuli.*

1998
La Fuerza Aérea pierde contacto visual con Arturo Pérez-Reverte. El autor salió volando la pasada noche tras hinchársele los cojones.

1999
Trabajadores del Parque Natural de Cabo de Gata-Níjar hallaron ayer un ejemplar de alcalde-murciano-no-implicado-en-corrupción-urbanística (*alcaldis integrus*). El mamífero, que se encontraba desorientado aunque en buen estado de conservación, es un ejemplar único de una especie en vías de extinción (por su incapacidad de adaptarse a los cambios en su hábitat).

2000
Santiago Segura rodará una trilogía sobre Martin Heidegger.

2001
Seseña albergará la nueva sede del museo Guggenheim.

2002
Conmoción en la comunidad científica: la expansión del entorno de ETA supera la velocidad de la luz. Einstein demandará a Batasuna por contradecir la Teoría de la Relatividad. Hernani abrirá una máquina del tiempo abertxale en la plaza del pueblo.

2003

Aznar publica su diario autobiográfico *Prisionero en la guerra de Perejil.* «Tuve que beber mi propia orina y comer mis propias heces para poder sobrevivir», confesó el presidente del Gobierno.

2004

Molina & Acebes se encaraman al número 1 con «Fue ETA. Fue ETA», nuevo single del dúo melódico formado por Ángel Acebes y Antonio Muñoz Molina. Fue la canción más vendida en España el pasado 11 de marzo. El tema, una balada desgarradora sobre terrorismo y consenso constitucional, despachó más de un millón de copias tras ser distribuida por los principales diarios del país. (P.D.: Tan solo 24 horas después de tocar el cielo con «Fue ETA», Molina & Acebes se separaron e iniciaron sendas carreras en solitario. Si Molina derivó hacia un country vaporoso de fuerte regusto neoyorquino y democrático, Acebes se enrocó en un intento de repetir su gran éxito. Su tema «Artapalo, Elvis y Rubalcaba montaron el 11-M», escrito a cuatro manos con el Phill Spector español, el productor y magnate Pedro J. Ramírez, no consiguió el clamoroso éxito popular de «Fue ETA», pero se convirtió en un hit de culto entre los seguidores de la canción melódica preconstitucional.

2005

El PSOE subvencionará al pueblo que acepte el almacén nuclear. «Habrá descuentos fiscales para los ciudadanos a los que les broten nuevas extremidades», aseguró el ministro Miguel Sebastián.

2006

Rosa Díez deja el PSOE para participar en el reality show *La isla de los demócratas.*

2007

El Supremo ilegalizará a la nueva Batasuna por no incluir «Imagine» como himno electoral en sus estatutos.

2008
UGT y CC.OO. barajan convertirse en un musical durante los mandatos del PSOE.

2009
El País reorganizará las secciones del diario para «favorecer la lectura». La nueva organización quedará así: Nacional, Internacional, Economía, Opinión, Deportes y El Artículo de Juan Cruz sobre Mario Vargas Llosa (P.D.: El periodista Juan Cruz fue hospitalizado ayer de urgencia tras sufrir hemorragias en ambas manos. «Llevaba 6.250 horas escribiendo ripios sobre Vargas Llosa sin ingerir alimento alguno», explicó anonadado un portavoz médico).

2010
Zapatero vende España a las islas Caimán para «generar confianza» en los mercados.

2011
Descubierto un niño salvaje de los Pirineos que no sabía que «se había estrenado la nueva de Almodóvar». El extraordinario caso del niño salvaje del valle de Arán que desconocía la existencia de *La piel que habito* ha provocado un agrio enfrentamiento entre Pedro Almodóvar y los principales rotativos nacionales. El director más internacional del cine español reaccionó al descubrimiento acusando a los periódicos de «no haber puesto toda la carne en el asador». «Es intolerable que haya alguien en España que no se haya enterado del estreno», aseguraron fuentes de Moncloa. El Gobierno publicará en los próximos días una edición especial del *Boletín Oficial del Estado* dedicada al cine de Almodóvar.

El año en que también hicimos promoción

Por Pep Campabadal y Colectivo Todoazen

NOTA: Todos los textos que aparecen a continuación están extraídos de la prensa española y de medios públicos (BOE, una publicación interna del Ministerio de Defensa y web de la Casa Real). Por otra parte, solo un texto, en cursiva, corresponde a artículos de opinión. Los textos ilustran un día normal en la CT.

Gregorio Peces-Barba, uno de los padres de la Constitución española, recibió ayer de manos del rey don Juan Carlos el Premio Pelayo para Juristas de Reconocido Prestigio, que concede la aseguradora Pelayo Mutua. El galardón, dotado con 30.000 euros, es uno de los más importantes que se entregan en el entorno jurídico.

Pepe Bono entrega al futbolista Salva Ballesta el Premio Ejército del Aire.

Un veterano en esto de recibir Premios Nacionales se llevó el galardón en la categoría de Historia de España de 2009. La llamada sonó a las 13.00 en el domicilio de José Antonio Escudero (Barbastro, Huesca, 1936), catedrático emérito de la UNED y coordinador de la obra colectiva *El Rey. Historia de la Monarquía* (Planeta). ¿Y qué sintió? «Pues mucha satisfacción, y eso que no es mi primer Premio Nacional.» En efecto, con este son tres. Antes lo recibió por *Los secretarios de Estado y del despacho* (1969) y *Los orígenes del Consejo de Ministros en España* (1979).

El duque de Palma, Iñaki Urdangarin, fue hoy galardonado con el premio a la notoriedad y la excelencia en el ámbito deportivo en la gala de los Premios Gaudí Gresol en Reus (Tarragona), a la que también asistió la Infanta Cristina. Además de Iñaki Urdangarin, también fueron premiados el presentador Andreu Buenafuente; el director de TVE, Xavier Pons; la chef Carme Ruscalleda; el arquitecto Joan Bassegoda; el investigador Manel Esteller; la Obra Social de Bancaja, y el presidente del Banco Popular Ángel Ron.

La novela *El fuego del cielo*, de César Vidal (Madrid, 1958), se alzó anoche con el VI Premio de Novela Histórica Alfonso X El Sabio, convocado por MR Ediciones (Grupo Planeta) y Caja Castilla-La Mancha. Quedó finalista *La sombra del anarquista*, de Francisco de Asís. La novela ganadora recibirá 42.000 euros.

El escritor César Vidal se alzó anoche con el Premio Ciudad de Torrevieja, dotado con 360.000 euros, que conceden el Ayuntamiento de la localidad y la editorial Plaza & Janés. José Manuel Caballero Bonald, presidente del jurado, discrepó del fallo y anoche tachó la novela ganadora de «ideológicamente detestable, dudosa, oscura y sospechosa». La obra finalista fue *La orden negra*, de José Calvo Poyato (con una dotación de 125.000 euros), hermano de la ministra de Cultura. El jurado de la cuarta edición lo integraron, además del escritor José Manuel Caballero Bonald, Julio Ollero; Zoé Valdés, ganadora de la tercera edición; la directora editorial de Plaza & Janés, Nuria Tey, y el concejal de Cultura de Torrevieja, Eduardo Dolón, mientras que el secretario es David Trías. El Ayuntamiento de Torrevieja ha adjudicado un total de 15 contratos —sin mediar concurso público— por 377.000 euros al ingeniero técnico Fernando Sánchez Sánchez, primo del actual alcalde, Eduardo Dolón, y sobrino del anterior concejal de contratación, José Sánchez. El escritor español José Manuel Caballero Bonald, premio Reina Sofía de Poesía 2004, será el presidente del jurado de la VIII edición del Premio Alfaguara de Novela 2005.

Mario Vargas Llosa ha sido el ganador de la séptima edición del Premio Internacional de Ensayo Caballero Bonald con su obra *El viaje a la ficción*, un acercamiento al universo literario de Juan Carlos Onetti, publicado recientemente por Alfaguara.

La Asociación de Periodistas Europeos ha convocado la primera edición del Premio Francisco Cerecedo, que está dotado con un millón de pesetas. El jurado designado para la presente convocatoria está presidido por el académico Gonzalo Torrente Ballester. Forman parte del mismo como vocales: Carlos Luis Álvarez (Cándido); el ex presidente de Panamá y embajador de su país en España, Arístides Royo, Javier Pradera, Luis González Seara y Manuel Vicent. Actuará como secretario Miguel Ángel Aguilar. Javier Pradera, jefe de la sección de Opinión de *El País*, ha obtenido el Premio de Periodismo Francisco Cerecedo, en su segunda edición, dotado con un millón de pesetas por la Asociación de Periodistas Europeos.

José Luis de Tomás García, inspector de policía de Valencia, fue el ganador de la 41.º edición del Premio Nadal de novela, fallado anoche en Barcelona, con la obra *La otra orilla de la droga*. José Luis de Tomás estaba ayer en la noche del Nadal acompañado de su jefe inmediato, porque tuvieron una premonición y se trasladaron los dos a Barcelona.

La Caja de Ahorros del Mediterráneo gana el Premio Nacional «Empresa y Medio Ambiente».

José María Aznar estuvo leyendo durante todo el transcurso de la primera votación parlamentaria de esta legislatura el admirable libro de poemas de Luis García Montero, *Habitaciones separadas*, Premio Nacional de Literatura.

Don Juan Carlos hizo entrega del XXII Premio FIES de Periodismo, que distingue en esta edición al recientemente fallecido Carlos Sentís, en reconocimiento a su artículo «Moderar y arbitrar», publicado por el diario *La Vanguardia* el 19 de febrero de 2010. Está dotado con 6.000 euros y en las últimas ediciones ha sido patrocinado por Caixa Catalunya. Han sido distinguidos con este premio, desde su primera edición, Fernando Ónega, Antonio Burgos, José María García Escudero, *¡Hola!*, Baltasar Porcel, Pilar Cernuda, Sabino Fernández Campo, Francisco Umbral, Alfonso Ussía, Manuel Hidalgo, Carmen Enríquez, Carmen Iglesias, Javier Gomá, Antonio Papell, Pedro González-Trevijano, Darío Valcárcel, Juan Velarde, Manuel Olivencia, Pablo Salvador Coderch, Jorge de Esteban Alonso e Ignacio Camacho.

El Premio Luis Carandell de Periodismo Parlamentario, que concede el Senado, fue convocado por primera vez en 2003, para reconocer a la «crónica» parlamentaria sobre la Cámara Alta que de forma más destacada haya contribuido a realzar la significación de la institución, con el fin de recuperar la tradición de este género periodístico y al mismo tiempo honrar la memoria de uno de los mejores cronistas parlamentarios del siglo XX. Se concede en dos categorías: «Cronista parlamentario» y «Cronista senatorial», con una dotación económica de 10.000 y 6.000 euros, respectivamente. El pasado 15 de marzo, la Mesa del Senado ratificó la propuesta del jurado del Premio Luis Carandell de Periodismo Parlamentario, concediendo este galardón al periodista Iñaki Gabilondo.

Orden CUL/3009/2011, de 3 de noviembre, por la que se modifica la Orden de 22 de junio de 1995, por la que se regulan los Premios Nacionales del Ministerio de Cultura.

En segundo lugar, el traspaso de competencias del Ministerio del Interior al Ministerio de Cultura en materia de fomento y protección de la tauromaquia, llevado a cabo por medio del Real Decreto 1151/2011, de 29 de julio, consagra la consideración de la actividad tauromáquica como una disciplina artística y un producto cultural, y por lo tanto, una actividad digna del fomento y la protección de la cultura, que el artículo 149.2 de la Constitución española encomienda al Estado como deber y atribución esencial. Entre las medidas de fomento de la tauromaquia, en tanto que actividad cultural, que el Ministerio de Cultura puede abordar, resulta oportuna y apropiada la creación de un nuevo Premio Nacional de Tauromaquia, junto a los que ya recoge la Orden de 22 de junio de 1995, por medio del cual se reconozcan con periodicidad anual los méritos extraordinarios de un profesional del toreo, en todas sus diferentes manifestaciones (torero, ganadero, empresario, etcétera), o de una persona o institución que haya destacado por su labor en favor de la difusión de los valores culturales de la tauromaquia.

Con la idea de involucrar cada vez más a la sociedad civil en la gestión cultural, se considera necesario ampliar la designación de entidades culturales y profesionales especializadas en cada una de las materias objeto de los premios, con la finalidad de que en la composición del jurado se encuentren representados la mayor parte de los sectores y asociaciones culturales de reconocido prestigio que estén vinculados desde múltiples perspectivas a actividades literarias, artísticas y culturales.

La dotación económica de los premios será de 40.000 euros para el Premio Nacional de las Letras Españolas; de 30.000 euros para los Premios Nacionales de las Artes Plásticas, de Fotografía, de Restauración y Conservación de Bienes Culturales, de Diseño de Moda, de Cinematografía, de Teatro, de Artes Escénicas para la Infancia y la Juventud, de Danza, de Música, de las Músicas Actuales, de Circo, de Televisión, de Fomento de la Creatividad en el Juguete y de Tauromaquia; y de 20.000 euros para los Premios Nacionales de Literatura en cada una de sus modalidades, de Historia de España, a la Mejor Traducción, a la Obra de un Traductor, del Cómic, de Ilustración y de Periodismo Cultural.

El escritor jiennense Antonio Muñoz Molina, la historiadora y escritora granadina Antonina Rodrigo y la Orquesta Barroca de Sevilla son los nuevos premiados por la Consejería de Cultura en las modalidades de literatura, pensamiento y artes escénicas. Los galardones, que se fallaron ayer en Sevilla, son bienales y están dotados con 30.000 euros cada uno. «Me siento muy agradecido. Uno hace su trabajo porque le gusta y para ser leído, para llegar a la gente; así que un premio le da a tu trabajo la necesaria dimensión pública. La literatura es algo que se hace de forma solitaria, aunque no tiene nada de solitaria. Primero, te alimentas de una tradición, de lo que han escrito otros escritores, que eliges tú, y luego está el encuentro con los lectores que, para mí, es lo fundamental. Un premio viene a reconocer todo eso y es por eso por lo que me siento muy agradecido», afirmó ayer, vía telefónica, Antonio Muñoz Molina.

Letizia Ortiz, que recibió en el año 2000 el Premio Larra que concede la Asociación de la Prensa por su labor como Mejor Periodista menor de treinta años, es muy apreciada por sus compañeros de profesión y ha dejado huella en cada uno de los medios en los que ha trabajado. Sensible, lista, seria en su profesión y agradabilísima son algunos de los adjetivos que se le atribuyen. El príncipe Felipe y Letizia Ortiz se conocieron el 17 de octubre de 2002 en una cena organizada por Pedro Erquicia, presentador y director de *Documentos TV*, en su ático de Madrid. Dicen que fue un flechazo y que el Príncipe quedó prendado de aquella periodista, con la que coincidió meses después en la entrega de los Premios Príncipe de Asturias y en Galicia, mientras ella cubría el desastre del *Prestige*.

El Premio Planeta de novela fue ganado ayer por Manuel Vázquez Montalbán, con su obra *Los mares del Sur*. El galardón está dotado con ocho millones de pesetas. El presidente de la Generalitat, Josep Tarradellas, entregó a Vázquez Montalbán el trofeo del Premio Planeta al final de la cena en que este se concedió.

Lucía Etxebarría sí plagió a Antonio Colinas. La escritora vasca de origen valenciano no solo lo negó categóricamente, pese a las múltiples pruebas aportadas en un reportaje publicado en septiembre de 2001 por la revista *Interviú*, sino que llevó el caso a los tribunales por daños contra su honor.

La escritora vizcaína Lucía Etxebarría ha ganado con la novela *Un milagro en equilibrio* la 53.ª edición del Premio Planeta de Novela, dotado con 601.000 euros. Primero fue el Nadal, luego el Primavera y ayer el Premio Planeta. Todo dentro del mismo grupo editorial y en solo seis años. La obra finalista, que recibirá 150.250 euros, ha sido *La vida en el abismo* del valenciano Ferran Torrent.

Me remito a lo que dijo Lara en una rueda de prensa, tras la proclamación de la obra ganadora el 15 de octubre de 1989. Un periodista le preguntó que cómo era posible que Soledad Puértolas, que había concursado con pseudónimo, hubiera sido invitada al acto antes de conocerse el fallo. Lara Hernández le respondió: «Creo que usted todavía cree que los niños vienen de París».

¿Qué opinó el patriarca Lara de estos premiados? «Al hacerlos millonarios, se borran de comunistas», dijo.

Juan José Millás gana el Planeta de Novela y Boris Izaguirre queda finalista. Con este premio Millás iguala el *hat-trick* editorial que ostentaba Lucía Etxebarría, ganadora del Planeta, el Nadal y el Primavera.

Los periodistas Juan Luis Cebrián y Luis María Anson fueron elegidos ayer para ocupar las plazas V y ñ, respectivamente, de la Real Academia Española. Cebrián dijo: «Estoy muy satisfecho de entrar en la Academia con Luis María Anson».

Por su parte, Anson declaró: «Me produce una gran satisfacción entrar en la Academia con Juan Luis Cebrián porque nadie como yo sabe lo que es».

La Fundación Gregorio Ordóñez entregó en San Sebastián el premio Gregorio Ordóñez, en su VII edición, a D. Antonio Muñoz Molina, escritor valorado por la crítica como uno de los valores más sólidos de la narrativa actual, por su claro posicionamiento contra el terrorismo, su apoyo a las víctimas del terrorismo y por abogar por una mayor implicación del movimiento intelectual contra la organización terrorista ETA y sus consecuencias. A la entrega de este galardón, presidido por Ana Iribar, asistieron, entre otras personas, su hermana Consuelo, los miembros de Basta Ya Carlos Martínez Gorriarán y Mikel Iriondo, la presidenta del PP en Guipúzcoa, María San Gil, y el parlamentario vasco de este partido, Santiago Abascal. También estuvieron presentes el diputado electo del PSE-EE por Guipúzcoa, Manuel Huertas, el ex secretario general de los socialistas vascos, Nicolás Redondo Terreros, y el sacerdote Antonio Beristain. Todos ellos guardaron un minuto de silencio en memoria de las víctimas del 11-M.

El periodista Fernando Ónega recibió el premio El Mortero Farmacéutico de Periodismo, concedido por la Asociación Española de Farmacéuticos Formulistas, por considerarlo un profesional de los medios de comunicación que ha sabido reflejar con objetividad los avatares de la Farmacia. Y porque en medio de la vorágine comunicativa en la que se han visto inmersos los farmacéuticos, Fernando Ónega les ha brindado siempre un trato cuando menos de respeto y siempre de afecto. «Me comunicaron que había recibido este premio hace tres semanas a través de otra persona, porque yo no podía atender el teléfono en ese momento. Quien lo cogió, entró en mi despacho y me dijo entusiasmado: "Oye, que te han dado un premio". Le pregunté: "¿De qué?". Me dijo: "No lo sé muy bien, pero son cuatrocientas mil pesetas". Y claro, en nuestro oficio estamos tan mal que me lo comunicaron como si me hubiera tocado la lotería. Creo que, en lo que va de año, este es el tercer premio que recibo de los farmacéuticos de España. Quiero dejaros sobre la mesa tres cosas que son en parte un compromiso personal. Desde hace un año soy director general de Onda Cero, y por lo tanto os doy el compromiso de la mayoría de los profesionales de mi cadena de apoyaros e intentar entenderos, que creo que ya es bastante. Cuando uno observa las guerras que los farmacéuticos tienen con la Administración, cuando la Administración recorta vuestros beneficios para poder presumir después en los debates públicos que ha recortado los precios de los medicamentos, cuando se os ponen tantas trabas legales para vuestro trabajo de investigación, para vuestro trabajo científico, para vuestro trabajo de servicio... Creo que, si muevo a mi gente, que somos 900 profesionales en toda España, para que os comprendan y os conozcan, ya haríamos una importante labor.» El pasado sábado, en Santiago de Compostela, se celebró la boda de Sonsoles Ónega, hija del periodista Fernando Ónega. Todo hubiese quedado en una ceremonia privada y familiar de no ser porque entre los invitados estaban los Príncipes de Asturias. Su presencia se debe a que la novia y la Princesa mantienen una gran amistad debido a que ambas trabajaron en CNN+.

Fernando Savater gana el Premio Planeta con *La Hermandad de la Buena Suerte*: «Es una novela desgrasada, *no fat*, que no engorda». «Será una tranquilidad para el lector, que está acostumbrado a escuchar mis sermones», ha asegurado para confesar que, con esta novela, se ha tomado «unas vacaciones» de sí mismo.

Jordi Gracia, profesor de Literatura Española de la Universidad de Barcelona, ha ganado la 32.ª edición del Premio Anagrama de Ensayo por su obra *La resistencia silenciosa*, un análisis sobre la actitud de los intelectuales españoles en la posguerra. Rafael del Águila, catedrático de Ciencia Política de la Universidad Autónoma de Madrid, ha resultado finalista con la obra *Sócrates furioso: el pensador y la ciudad*. Gracia ha indicado que ha buscado «en los pliegues y en los recovecos de la Historia. El franquismo fue un régimen terrible, pero intelectualmente hubo una resistencia silenciosa, incluso de gente que apoyó a Franco en la guerra y más adelante de intelectuales falangistas que abandonaron sus ideas fascistas».

Racionero reprodujo pasajes enteros de un libro de 1921 para escribir su *Atenas de Pericles*. El ensayo del director de la Biblioteca Nacional sobre la Grecia clásica fue publicado en 1993.

Sin embargo, lo que esta edición de los Premios Ejército quiere acentuar es, precisamente, lo que nos une a aquellos ciudadanos del siglo XIX y, especialmente, la vigencia de los valores comunes que defendieron con tanto arrojo, valentía y heroísmo, dejando su ejemplar comportamiento como legado para nuestra historia. Las obras seleccionadas y premiadas en esta edición, reseñadas en las páginas de este catálogo, han sabido recoger brillantemente aquellos hechos en los que se reflejó la simbiosis entre pueblo y ejército, entre modernidad y tradición. Estas obras han logrado plasmar la evolución de la sociedad y la de sus ejércitos con ella, creciendo y aprendiendo de su pasado común. Junto con mi felicitación para los galardonados, quiero expresar mi agradecimiento a los miembros del jurado de los Premios Ejército que, como cada año, han sabido elegir con rigor y buen criterio las mejores obras para ser seleccionadas y premiadas en esta edición y que son las presentadas en este catálogo 2008.

Santos Juliá fue galardonado ayer con el Premio Nacional de Historia 2005 por su obra *Historias de las dos Españas*, un análisis sobre el papel de los intelectuales en los siglos XIX y XX. El premio está dotado con 15.000 euros.

Los Ortega reconocen el periodismo que ayuda a entender el pasado. Los 26.º Ortega y Gasset de Periodismo han premiado una de las fotos que mejor simbolizan la Transición, cuyo autor es Adolfo Suárez Illana. Adolfo Suárez Illana estaba ayer sentado al lado de su padre cuando recibió la llamada de *El País*. «Aquí está, junto a mí.» Le estaba explicando: «Papi te han dado un premio», contó. «Intentaré que lo entienda con paciencia como el día en que hicimos la foto.» «La complicidad del Rey fue fundamental. Sin su ayuda, la foto no habría sido posible.» El autor está feliz por el premio, pero se considera «un intruso» en un mundo de «excelentes profesionales». «Sé que se premia algo más importante: la Transición, una época que ha sido muy importante en la vida de este país, representada en Su Majestad y en mi padre.»

El ensayista y poeta vasco Jon Juaristi ha ganado el XXXI Premio Azorín de Novela, dotado con 68.000 euros y convocado por la Diputación de Alicante y la editorial Planeta, con su primera novela, *La caza salvaje*, según el fallo del jurado dado a conocer esta noche. En su condición de ganadora del Azorín, Planeta sacará a la venta el próximo 3 de abril esta primera novela de Juaristi, después de salir la elegida en la votación final con el respaldo de cinco de los siete miembros del jurado. El mismo fue presidido por el diputado de Cultura de la corporación provincial, Miguel Valor, y estuvo formado por el director editorial de Planeta, Carlos Revés, los escritores Juan Eslava (que votó por videoconferencia por enfermedad), Fernando Sánchez Dragó, Pedro Montalbán, Javier Pérez, el director de la casa-museo Azorín, José Payá, y la secretaria general de la Diputación, Amparo Koninchkx. DOBLES VIDAS: Miguel Valor. Concejal, nadador y culturista. El culturismo lo empezó a practicar en los años setenta y cuando llegó a Alicante «me compré mancuernas, barra y banqueta, y me inscribí en el gimnasio Atenas, en Campoamor, por donde pasaban campeones de España e incluso del mundo, y de donde guardo muy buenos recuerdos de los siete años que acudí. Entonces iban guardias de seguridad de discotecas que contaban historias increíbles». Para seguir su pasión por el deporte y las pesas «me puse un pequeño gimnasio en casa hasta que abrió Alisport, y sigo allí desde hace seis años, porque me encuentro muy a gusto». Valor destaca su amistad con Miguel Ángel Montes, director de Alisport y deportista, así como la calidad de estas instalaciones, que le permiten practicar pesas y natación. Al finalizar, hace uso del jacuzzi o la sauna siempre que puede, porque «me relaja». El Grupo Socialista en el Ayuntamiento de Alicante preguntará al gobierno municipal en el próximo pleno sobre la pérdida de los derechos económicos que corresponden al Consistorio por la transmisión de la concesión administrativa otorgada a la mercantil Alisport y que ahora gestiona otra empresa. El presidente de la Diputación de Alicante sale de comisaría en libertad con cargos.

El escritor y académico de la Lengua Antonio Muñoz Molina será nombrado director del Instituto Cervantes en Nueva York, según ha anunciado el director general de esta institución, César Antonio Molina. El próximo 21 de marzo, el Instituto Cervantes cumplirá veinte años. Una trayectoria que, para su actual directora, Carmen Caffarel, «es la historia de un éxito», según declaró ayer en la Comisión de Asuntos Exteriores del Senado, donde presentó las cifras de la institución en 2010 y sus planes de actuación para este año. Casi todo fueron elogios. «Como ha dicho Antonio Muñoz Molina, el Cervantes es la mejor idea cultural de la democracia, porque ha sabido impulsar y promocionar la expansión internacional de nuestro idioma, que se ha convertido en el producto español más demandado internacionalmente.»

«Esto lo arreglamos entre todos» es una iniciativa de la Fundación Confianza formada por las Cámaras de Comercio y las principales empresas del Ibex 35, y busca la motivación y generar confianza de una ciudadanía afectada por la crisis económica. Susana Díaz, asesora externa para el proyecto, ha manifestado que «el objetivo es levantar la confianza de la ciudadanía de todo un país y generar la mayor terapia social de la historia». El mensaje lo transmiten ciudadanos anónimos que han encontrado oportunidades en medio de la crisis y, también, caras conocidas como Ángels Barceló, Juan José Millás, los hermanos Gasol, Carlos Sainz o Andreu Buenafuente. El 82 por ciento de las compañías del Ibex 35 tenía operaciones en paraísos fiscales en 2009, según el estudio que elabora anualmente el Observatorio de Responsabilidad Social Corporativa (RSC), que integra a organizaciones de la sociedad civil (ONG, sindicatos y asociaciones de consumidores). Esta cifra supone un incremento respecto al 71 por ciento (veinticinco empresas) de la edición del año anterior del informe.

El Premio Internacional de Poesía Fundación Loewe otorgado por la fundación homónima y publicado por la editorial Visor. Su cuantía actual es de 20.000 euros. Su primera edición tuvo lugar en 1988. Entre sus ganadores se encuentran: Juan Luis Panero, por *Galería de fantasmas*, Felipe Benítez Reyes, por *Sombras particulares*, Luis García Montero, por *Habitaciones separadas*, Jenaro Talens, por *Viaje al fin del invierno*, y Carlos Marzal, por *Fuera de mí*.

El dramaturgo catalán Albert Boadella será el director de los Teatros del Canal, la nueva sede de las artes escénicas de la Comunidad de Madrid, según han confirmado hoy fuentes de la Comunidad. La presidenta madrileña, Esperanza Aguirre, tiene previsto anunciar mañana en la Asamblea de Madrid este nombramiento, durante su discurso del Debate sobre el Estado de la Región. «Lo que me convenció es que ella confió en mí y no me puso delante ninguna limitación. No me dijo lo que tenía que hacer. Si hubiera pensado hacer una sátira sobre Esperanza Aguirre, no habría aceptado la dirección de los teatros. Cuando Els Joglars hicieron *Ubú president* renunciamos a la subvención de la Generalitat, que era una miseria, pero fue algo simbólico. Y se hizo por buena educación. Mientras yo sea director de los teatros de la Comunidad no voy a hacerla, es forzado, un pulso. Ahora que me has invitado a tu casa voy a mear en tu salón.» Sobre la capacidad política de Aguirre, señaló que sería buena presidenta de España. «Es mejor que Rajoy, seguro, sin desmerecer a Rajoy», dijo. «Rajoy es muy sensato, pero tiene un problema de liderazgo.» Argumentó que en el mundo occidental todavía se necesita «un jefe de tribu y Rajoy como jefe de tribu queda discreto». Concluyó que valora la «sensatez» del líder del PP y considera que «las cosas hubieran sido distintas» si este político hubiera gobernado España durante la crisis económica. No obstante, reiteró que «para mí Esperanza es más jefa de tribu».

En 1977, Renfe tomó una iniciativa para fomentar la cultura con la creación del Premio de Narraciones Breves Antonio

Machado, en el que podían participar todos los escritores españoles que lo desearan, con la única condición de situar de
algún modo el ferrocarril dentro de la trama de su obra. Ayer
tuvo lugar la entrega de premios de la última edición, en la
que han participado 1.400 autores, donde resultaron ganadores Felipe Benítez Reyes en la modalidad de poesía, con su
obra *Ciudades del Sueño*, y Vicente Molina Foix en la de narrativa, con el relato *La Ciudad Dormitorio*. El premio para
ambas categorías está dotado con 15.000 euros. En poesía, el
segundo premio ha sido para Daniel Rodríguez Moya por su
obra *La bestia*, y los ganadores de los accésit han sido Enrique Baltanás con *Los trenes que me esperan*, Raquel Lanse-
ros con *Prolepsis invertida*, Josep M. Rodríguez con *Noctur-
no y tren*, y Eduardo Verdú con *Cenizas y Caimanes*. En
narrativa, ha quedado en segundo lugar la escritora Marta
Sanz con su cuento *Sevérine y el conejo blanco*, y los accésit
han ido a parar a Andrés Barba con *Trayecto inaugural*, Abi-
lio Estévez con *El tren de los domingos*, Cristina Mejías Iri-
goyen con *Boulette d'Avesnes o el gran reto de Don Raimun-
do* y Félix J. Palma con *La sirena varada*.

El consejero de Presidencia y secretario general del PP de
Madrid, Francisco Granados, entrega hoy los I premios Españoles Ejemplares de la Fundación para la Defensa de la Nación Española (DENAES) al periodista Carlos Herrera, a la
alcaldesa Regina Otaola y al dramaturgo Albert Boadella,
entre otros. Por último, en la categoría de «deportes» ha sido
premiado el Sevilla Fútbol Club por «su iniciativa ejemplar
de incorporar la bandera nacional a la indumentaria del equipo en las competiciones internacionales en las que participa».
Será su presidente, José María del Nido, quien recoja el galardón. El jurado ha contado con doce miembros, entre los
que se cuentan la presidenta de la Comunidad, Esperanza
Aguirre, el ex presidente del Gobierno Leopoldo Calvo Sotelo, la ex presidenta de la AVT Ana María Vidal Abarca y
el ex presidente de CEOE José María Cuevas, así como personalidades del mundo del deporte y la cultura y el presidente de DENAES, Santiago Abascal. La Fundación DENAES

para la defensa de la Nación Española nació hace un par de años como herramienta para «aunar voluntades, liderar la sociedad civil en defensa de la Nación Española y fortalecer las instituciones políticas y jurídicas comunes, así como reivindicar nuestros símbolos y lazos de unión». La Fundación cuenta entre sus miembros con personalidades como el sociólogo Amando de Miguel, la periodista de la COPE Cristina López Schlichting, el filósofo y fundador del Foro Ermua, Jon Juaristi, y los políticos populares Gabriel Cisneros y Alejo Vidal Quadras, entre otros. La Audiencia Provincial de Málaga condenó ayer al abogado y presidente del Sevilla, José María del Nido, a siete años y medio de prisión por el llamado caso Minutas, la trama de saqueo de los fondos del Ayuntamiento de Marbella a través de facturas por servicios jurídicos que no llegaron a realizarse y que fueron contratados verbalmente y sin mediar expediente alguno.

El Consejo de Ministros ha otorgado a Ángeles González-Sinde la Gran Cruz de la Real y Distinguida Orden Española de Carlos III.

Cuando se consiente vivir demasiado tiempo en el delirio, el despertar es una pesadilla. [...] Es un delirio conveniente: le permite a uno disfrutar de las ventajas de una perfecta inocencia, y de un enemigo lo bastante vago y a la vez lo bastante preciso como para atribuirle la culpa de todas nuestras desgracias.

Sobre los autores

Carlos Acevedo (Santiago de Chile, 1984) cursa Estudios Literarios en la UB y escribe sobre historieta en internet (Libro de Notas, *librodenotas.com*, The Cool News, *www.thecoolnews. com*) y en papel (*Quimera*). Coordina, a duras penas, artefactos como El Butano Popular, *www.elbutanopopular.com*, y el colectivo Lló lo beo a si, *www.l3-bas.org*.

Pep Campabadal (Barcelona, 1977) es ingeniero y se dedica al comercio exterior. Es miembro del Projecte Democràcia Econòmica, dedicado al cooperativismo, del Club Pobrelberg, dedicado al anarquismo y de SCI, dedicada a la democracia radical. Lleva el blog Maketo Power en *www.lapaginadefinitiva. com*. Además, es socio del Barça.

El Colectivo Todoazen es un grupo plural y multidisciplinar que centra sus trabajos en el campo de las investigaciones narrativas. En 2005 se publicó su libro *El año que tampoco hicimos la revolución*.

Jordi Costa (Barcelona, 1966) lleva escribiendo sobre cine, cómic y otros territorios de la cultura popular desde 1981. Autor de los libros *Hay algo ahí afuera* (1997), *Mondo Bulldog* (1999), *Vida Mostrenca* (2002), *Carles Mira: Plateas en llamas* (2001), *Todd Solondz: En los suburbios de la felicidad* (2005), *El sexo que habla* (2006), *Monstruos modernos* (2008) y *100 películas clave del cine de animación* (2010), junto a otras obras colectivas o en colaboración, entre las que destacan *Profondo Argento* (1999), *Franquismo Pop* (2001), *Tierra de nadie* (2005), *El Quijote. Instrucciones de uso* (2005), *Mutantes* (2008), *Una risa nueva* (2010) y *Manga Impact* (2010). Ha comisariado las exposiciones *Cultura Basura: una espeleología del gusto, J. G. Ballard, autopsia del nuevo milenio* (ambas en el Centro de Cultura Contemporánea de Barcelona) y *Plagiarismo* (La Casa Encendida), esta última junto a Álex Mendíbil. Ejerce la crítica de cine en las páginas de *El País* y *Fotogramas*.

Ignacio Echevarría (Barcelona, 1960) es licenciado en Filología por la Universidad de Barcelona. Trabaja como técnico editorial, y en el pasado desarrolló una dilatada labor como crítico literario, principalmente desde las páginas de *Babelia* (*El País*). Autor de numerosos prólogos y ensayos, recientemente ha publicado dos amplias antologías de la obra ensayística de Rafael Sánchez Ferlosio (*Carácter y destino. Ensayos y artículos escogidos*, Santiago de Chile, Ediciones Universidad Diego Portales, 2011) y de Juan Benet (*Ensayos de incertidumbre*, Barcelona, Lumen, 2011). En la actualidad escribe regularmente columnas de crítica cultural en la *Revista de Libros* de *El Mercurio* (Santiago de Chile), en el diario *Perfil* (Buenos Aires) y en *El Cultural* de *El Mundo* (Madrid).

Amador Fernández-Savater (Madrid, 1974) va y viene entre el pensamiento crítico y la acción política, buscando siempre su encuentro. Es editor de Acuarela Libros (*acuarelalibros. blogspot.com/*), ha dirigido durante años la revista *Archipiélago* y ha participado activamente en diferentes movimientos colectivos y de base en Madrid (estudiantil, antiglobalización, copyleft, No a la guerra, V de Vivienda, 15-M). Es autor de *Filosofía y acción* (Editorial Límite, 1999), coautor de *Red Ciudadana tras el 11-M; cuando el sufrimiento no impide pensar ni actuar* (Acuarela Libros, 2008) y coordinador de *Con y contra el cine; en torno a Mayo del 68* (UNIA, 2008). Actualmente, emite semanalmente desde Radio Círculo el programa *Una línea sobre el mar* (*www.unalineasobreelmar.net/*), dedicado a la filosofía de garaje. Contacto: *amador@sindominio.net*

David García Aristegui (Madrid, 1974) es licenciado en Ciencias Químicas por la Universidad Complutense de Madrid, trabaja como desarrollador de software libre en el campo de la bio y la quimioinformática. Militante anarcosindicalista, ex músico y heredero de derechos de autor, es socio de la SGAE y participa en el programa de radio *Comunes* sobre copyleft, derechos de autor y propiedad intelectual.

Irene García Rubio (Madrid, 1978) es licenciada en Periodismo. Ha compaginado su trabajo de periodista con la investigación y con incursiones en el ámbito audiovisual. Fundadora del periódico *Diagonal,* participa actualmente en su sección de cultura.

Belén Gopegui (Madrid, 1963) es novelista. Algunos títulos: *La escala de los mapas, Lo real, La conquista del aire, El balonazo, El padre de Blancanieves, Deseo de ser punk, Acceso no autorizado.* Colabora con *www.rebelion.org.*

Víctor Lenore (Soria, 1972) es periodista musical. Ha colaborado en medios como *El País*, *Rockdelux* o *Minerva*. Es redactor del programa de televisión *Mapa Sonoro* y director de la colección de libros Cara B, que analiza discos clásicos de la música popular del Estado español. Fue coordinador de la revista *Ladinamo.*

Carolina León (Sevilla, 1974) es periodista titulada en Ciencias de la Imagen y el Sonido. Colabora en medios como *Qué Leer*, *Notodo.com (www.notodo.com)*, *Cultura/s* de *La Vanguardia* y *Periodismo Humano*. Ejerce la crítica literaria —Estado Crítico entre otros— y codirige el programa de radio sobre libros *¿Quieres hacer el favor de leer esto, por favor?* (*www.quiereshacerelfavor.es/*). Reflexiones largas en el blog *http://blogs.zemos98.org/carolinkfingers* y cortas en el Twitter *@carolinkfingers* (es fan de *Cocteau Twins*).

Isidro López (Madrid, 1973) es sociólogo, miembro del colectivo de investigación militante Observatorio Metropolitano y del colectivo Ladinamo. Coautor junto a Emmanuel Rodríguez del Libro *Fin de ciclo: Financiarización, territorio y sociedad de propietarios en la onda larga del capitalismo hispano (1959-2010)*, Traficantes de Sueños, Colección útiles 9 (2010).

Guillem Martínez (Cerdanyola, 1965) es periodista —el grueso de su trabajo ha transcurrido en el diario *El País*— y guionista televisivo. Algunos de sus libros (*Franquismo Pop*, *Pásalo*, *La canción del verano*) tratan sobre la cultura española / la CT. Es miembro del grupo de afinidad libertaria Club Pobrelberg. *www.guillemmartinez.com*, *@Guillemmartnez*.

Raúl Minchinela (Zaragoza, 1973) es ingeniero industrial. Principalmente conocido por su videoserie en internet *Reflexiones de Repronto* (2007), que ya ha completado cuatro temporadas. Su trayectoria digital comenzó en *Contracultura*, *http://www.rusc.net/~joan/contraweb_01/contracultura.html* (1995), que se considera el primer *webzine* generalista en español. Como analista cultural, ha publicado en medios nacionales (*Cultura/s*, *Mondo Brutto*, *Leer*, *Rockdelux*), internacionales (*Clarín*, *Le Courrier International*) y digitales (*Elitevisión*, *www.elitevision.org/*, El Butano Popular, *www.elbutanopopular.com*). Ha intervenido en directo en cines y festivales con su proyecto Trash entre Amigos. Su sitio web está en *www.minchinela.com*.

Pablo Muñoz (Barcelona, 1988) estudió periodismo en la Universidad Autónoma de Barcelona, ha publicado el ensayo *Padres ausentes* en Alpha Decay (2011) y ha escrito para la revista digital *Miradas de Cine* (*www.miradas.net*) los artículos «We Love Cinema» y «Cine 365». Actualmente es editor en Blog de Cine (*www.blogdecine.com*) y gestiona el blog El rincón de Alvy Singer (*http://elrinconalvysinger.blogspot.com/*) desde el año 2005.

Silvia Nanclares (Madrid, 1975). Ha escrito teatro, guiones, crítica, ficción, álbumes infantiles y relatos breves. Colabora en el periódico *Diagonal*, *Carne Cruda* (Radio 3) y la revista *Vacaciones en Polonia*. Su blog: *http://blogs.zemos98.org/entornodeposibilidades*.

Miqui Otero (Barcelona, 1980) es periodista y novelista. Ha escrito en *El Mundo* y en *Cultura/s* (*La Vanguardia*), entre otras publicaciones especializadas. También ha sido redactor jefe de la sección de Cultura de *ADN*. Ha comisariado ciclos multidisciplinares en el CCCB. Imparte clases de periodismo literario en la UAB. Ha participado en diversos libros colectivos (*Una risa nueva*, Nausicäa, 2010) y en guiones televisivos. Es autor de la novela *Hilo Musical* (Alpha Decay, 2010). Su última novela, de próxima aparición, es *La cápsula del tiempo* (Blackie Books).

Carlos Prieto (Madrid, 1974) es miembro fundador del colectivo *Ladinamo* y coordinador del libro *Ike. Retales de la reconversión* (Ladinamo Libros, 2004). Trabajó en la sección de cultura del diario *Público*.

Gonzalo Torné (Barcelona, 1976). Ha publicado la novela *Hilos de sangre* (2010; Premio Jaén de Novela), el libro *Lo inhóspito* (2007), un amplio prólogo novelado a la correspondencia de Jack el Destripador (2008) y las novelas gráficas *Tannhäuser* (1999; premio Viñetas al mejor cómic y al mejor guionista) y *Ranko-Kameran* (2011). Ha traducido a William Wordsworth, a John Ashbery y al filósofo Roger Scruton.

Guillermo Zapata Romero (Madrid, 1979) es guionista. Ha trabajado en varias series de televisión entre las que destaca *Hospital Central* y ha escrito y dirigido tres cortometrajes, todos ellos con licencias copyleft. El primero, *Lo que tú quieras oír* (2005), es la pieza de ficción más vista de la historia de la plataforma YouTube, con más de 100 millones de descargas. Además, escribe en varios medios on-line, es colaborador habitual del periódico *Diagonal* y la web Madrilonia (*http://madrilonia.org/*) y ha sido responsable de la sección de cómics de la revista *Ladinamo*. Mantiene una columna mensual en la web Libro de Notas (*librodenotas.com*) llamada «Crónicas del Hype» y ha terminado su primera novela publicada en la sección juvenil de dicha web. En 2011 cofundó la empresa de servicios narrativos Kayros Transmedia.